LA LIDIA

Jorge Laverón

LA LIDIA

ACENTO
EDITORIAL

Diseño de cubierta: *Alfonso Ruano/César Escolar*

© Jorge Laverón, 1997
© Acento Editorial, 1997
    Joaquín Turina, 39 - 28044 Madrid

Comercializa: CESMA, SA - Aguacate, 43 - 28044 Madrid

ISBN: 84-348-0219-2
Depósito legal: M-9409-1997
Fotocomposición: Grafilia, SL
Impreso en España/Printed in Spain
Huertas Industrias Gráficas, SA
Camino Viejo de Getafe, 55 - Fuenlabrada (Madrid)

ÍNDICE

LAS PLAZAS DE TOROS

Las fiestas de toros, mientras fueron un regocijo público o un deporte caballeresco, se celebraron en las calles y plazas públicas, bien atajadas en sus accesos para impedir que se escapasen los toros, o bien mejor preparadas con la erección de tablados y andamios.

Con el paso del tiempo los planes de reformas urbanas incluyeron en la construcción de plazas públicas el balconaje de sus edificios para presenciar desde ellos los espectáculos. Un ejemplo representativo es la Plaza Mayor de Madrid, cuyos edificios ordenó erigir el rey Felipe III a su arquitecto favorito, Gómez Mora.

La corrida de toros como espectáculo reglamentado, según los avatares de la lidia, no toma cuerpo hasta mediados del siglo XVIII. En los siglos anteriores, la fiesta de toros era una sucesión de suertes a caballo: alanceamiento, rejoneo, o picar con la vara de tener. El acompañamiento a pie se realizaba con total y libre anarquía.

Cuando se fijan los tercios de la lidia, se dispone el número de toros y se establece la categoría de los participantes; es decir, cuando la fiesta de toros se racionaliza, es preciso dar con el recinto adecuado. De la Plaza Mayor, por lo general cuadrangular, se pasa al coso circular fabricado ex profeso para celebrar la corrida de toros.

El círculo facilita una mejor visibilidad y permite una mayor capacidad de aforo. Además evita ángulos muertos. Así, fijándose en el ejemplo remoto del circo romano, se construyen las plazas de toros.

El circo romano era de planta ovoide como los famosos de Nimes y Arlés, en el sudeste de Francia, convertidos, hoy día, en plazas de toros. Pero los primeros cosos españoles adoptan la forma circular, más apropiada que la ovoide, como el de Ronda (Málaga), construido en 1769. La Real Maestranza de Sevilla, construida poco antes, en 1760, no es todavía circular. Sin embargo es una de las plazas más bellas y emblemáticas, uno de los monumentos y ornamentos de la capital andaluza más caracterizados en el paisaje urbano.

La influencia romana tiene su mejor ejemplo en la plaza de toros de Valencia, en la calle Xátiva; construida en 1859, es una réplica casi exacta del Circo Flavio Marcelo.

Las plazas de toros a lo largo de dos siglos han seguido fielmente normas y modos urbanísticos. Podemos contemplar edificios barrocos, neoclásicos, neomudéjares, modernistas e incluso de avanzada técnica vanguardista. En líneas generales, las plazas de toros están perfectamente sincronizadas con el paisaje urbano, tanto en España como en el sur de Francia, Portugal o la América taurina. Así la plaza Monumental de Barcelona en la avenida de Las Corts, a espaldas de la Sagrada Familia del gran Gaudí; el monumental coso de Insurgentes en la capital mexicana; la plaza de Vista Alegre en Bilbao, son claras muestras. Como plazas de toros de especial belleza y ensambladas en el paisaje hay que mencionar las de Salamanca, Palma de Mallorca, Málaga, Granada, Almería, Antequera, Azpeitia, Alicante, Santander, Zaragoza, Toledo, Segovia, Murcia y Albacete, entre las más significativas.

En el sur de Francia: Bayona y Mont de Marsant, tienen particular personalidad. Lechapaillet y Plumason son los respectivos nombres de las renombradas «Arenes». En Portugal, la plaza de Campo Pequenho, en Lisboa, que data del año 1890, es de gran belleza. En América, la plaza de Acho en Lima, construida en 1765; El Nuevo Circo de Caracas; Cañaveralejo en Cali (Colombia) y La Santa María, de la capital Bogotá, son

buenos ejemplos, tanto urbanísticos como arquitectónicos.

El diseño de las plazas de toros estuvo muy ligado a los grandes conceptos de la lidia que tuvieron las grandes figuras de la historia, como Francisco Montes, *Paquiro*, el gran legislador, o el mismísimo José Ortega, *Gallito*, conocido universalmente como Joselito, que inspiró la construcción de la Monumental de Sevilla, de efímera existencia, y de la de Madrid, considerada como «la catedral del toreo» y «la primera plaza del mundo».

El genio de Paquiro en su *Tauromaquia*, dictada al grandioso escritor Santos López Pelegrín «Abenamar» en el año 1836, refiere cómo debían construirse las plazas de toros:

«Las plazas deben tener de cantería, cuando menos, hasta los primeros balcones y estar construidas con la mayor solidez y el gusto exquisito. El Gobierno debe cuidar todo lo concerniente a su hermosura y magnificencia, pues son edificios públicos susceptibles de recibir cuantas bellezas posee la más brillante arquitectura, y en que debe darse a conocer a todos los que las observen el grado de esplendor y de adelanto en que se hallan las artes en España».

También Paquiro aconseja la ubicación de la plaza en relación a la ciudad: «Deben estar en el campo, combinando que se hallan al abrigo de los vientos, deberá haber una calzada de buen piso para las gentes que vayan a la función y un camino, que no se cruce con el anterior, para que circulen los carruajes y las caballerías».

Pronto, las plazas construidas en las afueras se vieron rodeadas de edificios, para acabar inmersas en la urbe. Pero aun hoy día se construyen según las instrucciones de Paquiro. Un ejemplo muy significativo es el de las Ventas de Madrid.

Desde 1919 se movía la idea de sustituir la plaza de toros de la Carretera de Aragón, hoy Palacio de los Deportes, por una nueva más amplia y acorde con los tiempos. El lugar escogido fue al final mismo de la calle de Alcalá, en terrenos difíciles de desmontar y con enormes dificultades de acceso, no sólo para los coches, sino también para las personas. Rodeada por el mísero caserío del barrio extremo de las Ventas y en lontananza al Cementerio del Este, hasta 1931 no abrió sus puertas, a pesar de estar acabada en 1935.

Hoy las Ventas está perfectamente integrada en el paisaje de la urbe. La calle de Alcalá se ha prolongado y el coso está rodeado de modernos edificios y amplias avenidas, e incluso una vía de circunvalación: la M-30.

La mayoría de las plazas de toros, incluidas las pioneras como las Maestranzas de Sevilla y Ronda, se conservan exactamente igual a como fueron construidas, aunque en algunos casos se hayan restaurado o ampliado, lo que da idea de la gran funcionalidad con que fueron inicialmente diseñadas.

LA PLAZA POR DENTRO

Los accesos han de ser amplios y cómodos tanto para personas como para coches y carruajes; por ejemplo, las Ventas de Madrid es, también en esto, una plaza paradigmática. Las puertas de entrada y las que dan acceso al graderío deben tener también esta cualidad, así como los pasillos interiores han de ser lo más anchos posible.

Las plazas antiguas, como la Maestranza de Sevilla o la Misericordia de Zaragoza, son especialmente incómodas por la estrechez de sus puertas, vomitorios de acceso al graderío y pasillos. Los cosos modernos, como por ejemplo «La Corredera», de Colmenar Viejo (Madrid), levantado sobre el antiguo de cantería, es especialmente cómodo y ejemplar en este aspecto.

El aforo de una plaza de toros suele ir en consonancia con su importancia taurina. Suelen tener entre diez mil y veinte mil localidades. La plaza de México, en la avenida de Insurgentes de la capital azteca, con cerca de cincuenta mil localidades, es una rara excepción.

Las más importantes de España en cuanto a categoría y aforo son: las Ventas, de Madrid; la Maestranza, de Sevilla; la Monumental, de Barcelona; Vista Alegre, de Bilbao; la Malagueta, de Málaga; la Misericordia, de Zaragoza; la Glorieta, de Salamanca; la Condomina, de Murcia, y las plazas de Valencia, Pamplona y El Puerto de Santa María, en la provincia de Cádiz.

Por antigüedad y belleza hay que mencionar la de Ronda, en Málaga, y la de Béjar, en Salamanca. Entre las más modernas y confortables se encuentran las de Palencia, el Coliseo polivalente de La Coruña y la plaza de «La Corredera», en Colmenar Viejo (Madrid).

La plaza de Acho en Lima (Perú) es de las más antiguas del mundo y ofrece un gran contraste con los vanguardistas cosos de avanzada técnica arquitectónica construidos en México, Venezuela y Colombia.

La corrida de toros se contempla mejor —se vive más— desde una localidad a corta o media distancia del ruedo que desde lejos. Por esta razón los precios de los sitios más próximos al ruedo, como barreras, contrabarreras, tendidos bajos o gradas de sombra, son más caros. Igualmente, al transcurrir la lidia, generalmente, en terrenos de sombra, estas localidades son más caras que las de sol. Las entradas de sol son las más baratas por estar, generalmente, más alejadas del tercio donde se celebra la lidia. Sol y sombra es la localidad intermedia. Si la sombra da pronto y está cerca del tercio, es lugar cotizadísimo por los aficionados más entendidos. El tendido 8 en Madrid tiene gran tradición de asiento de los aficionados de mayor solera.

El graderío (y sigo el orden de la plaza de las Ventas de Madrid, más que nada por ser el más socorrido) consta de 10 tendidos. De sombra: el uno, dos, nueve y diez; de sol: cuatro, cinco, seis y siete; de sol y sombra: tres y ocho.

Las localidades más cercanas al ruedo se llaman barreras. Las inmediatas, detrás, contrabarreras. Normalmente hay un pasillo que da paso al tendido, que se divide en bajo y alto. Otro pasillo separa el tendido bajo del alto. La primera fila del tendido, justo la que da al pasillo, se llama delantera baja de tendido; la fila siguiente, tendido fila 1. Aproximadamente a partir del peldaño 12 o 15 comienza el tendido alto, cuya fila que da al pasillo se llama delantera alta de tendido. El tendido alto es localidad también muy apreciada. Suele tener menos filas que el bajo.

A continuación —y repito que sigo el ejemplo de las Ventas de Madrid— vienen las gradas, localidad cubierta situada en la segunda planta de la plaza, que alberga simples graderíos y también palcos independientes. La delantera de grada y de palco es seguramente la mejor localidad de la plaza, tras la barrera. Por ello tiene precios más altos que muchos tendidos altos e incluso bajos. La grada consta de delantera y cinco filas. La última fila, pegada a la pared, es también muy apreciada.

En plazas monumentales como Madrid, Valencia o Barcelona existen las andanadas, localidad cubierta situada en la tercera planta, que consta también de delantera y cinco filas de graderío.

Las andanadas son refugio de aficionados curtidos con vista de pájaro, o de nuevos aficionados aún no acostumbrados a contemplar de cerca los diferentes estadios de la lidia, que no siempre son, ni mucho menos, agradables a la vista del neófito.

Otros lugares muy apreciados para seguir la lidia son las sobrepuertas, los balconcillos, la meseta de toriles. De todas formas, lo mejor para el que acude a una corrida de toros, sea más aficionado o menos, es adquirir en taquilla una localidad cercana al burladero de capotes y lo más asequible a su bolsillo. Los taquilleros son gente amabilísima y dispuesta a orientar al perplejo, y además, siempre está el consejo de un aficionado veterano, compañía ésta que recomiendo vivamente al neófito, o bien consultar detenidamente los cada día mejor confeccionados carteles y programas anunciadores de la corrida.

Instalado en su cómoda, o no tanto, elegida localidad de barrera, tendido, grada o andanada, o tal vez un palco, si ha podido gozar del dichoso privilegio, antes de encender el cigarro puro —no es imprescindible, pero casi— observará que tras el círculo o redondel y la barrera se encuentra un amplio pasillo: el callejón.

El callejón es llamado el espacio entre la valla —también llamada barrera— que circunda el redondel y el muro del tendido. El callejón separa el ruedo de las primeras localidades que ocupa el público.

Dentro del callejón y bajo las barreras hay también unas localidades preferentísimas, llamadas burladeros, donde tienen asiento los empresarios, apoderados de los toreros, veterinarios, médicos, mayorales, empleados de la plaza: carpinteros, monosabios, areneros, algunos fotógrafos o periodistas, autoridades e invitados de respeto.

La separación entre el callejón y el ruedo es una valla —barrera propiamente dicha— de madera con la suficiente solidez que evite que los toros la puedan romper. En la barrera hay unos huecos o portillos —generalmente cuatro— para que los toreros puedan entrar o salir al ruedo, protegidos por su correspondiente burla-

dero para que los toros no puedan entrar en el callejón y también como refugio para los lidiadores en apuro.

El burladero —propiamente dicho— es un tablón, por lo general de madera, colocado delante de los portillos que dan acceso al ruedo, separado de la barrera lo justo para entrar o salir. El número de burladeros oscila entre tres y cinco, según el tamaño del ruedo. En otro tiempo se llamaron aliviadores y no estaban bien vistos.

La anchura del callejón oscila entre el metro y medio y los dos metros. El callejón debe ser lo más ancho posible, siempre que no impida la vista a los espectadores.

El ruedo, redondel y también anillo es el espacio o lugar destinado para la lidia. Su diámetro oscila entre los 45 y 60 metros. La barrera que lo circunda tiene una altura de 1,60 metros y está provista de cuatro puertas, exactamente iguales por su parte exterior. Son la puerta de chiqueros, la puerta de cuadrillas, la puerta de arrastre y la puerta grande. Tras ellas están, respectivamente, los toriles, el patio de caballos, el desolladero y la puerta principal de acceso al coso.

La puerta de chiqueros, o toriles, conocida también como «portón de los sustos», es por donde el toro sale al ruedo. Está situada, casi siempre, frente al burladero de capotes. El chiquero es un cuarto estrecho y oscuro, ajustado al tamaño de las reses, donde cada toro aguarda desde el «apartado» hasta el momento de saltar al ruedo.

Los chiqueros se comunican entre sí —lo normal es que haya ocho chiqueros— y desembocan por un extremo en el corredor que viene a dar en la misma puerta de salida al ruedo, y por el otro extremo, en los corrales, dependencias donde aguarda el ganado desde su llegada a la plaza hasta su enchiqueramiento.

La puerta de cuadrillas es el lugar de recogimiento de los lidiadores minutos antes del comienzo del festejo. Se accede por el patio de caballos, donde están las cuadras de caballos que intervienen en la corrida y el correspondiente guadarnés. La amplitud del patio permite a los picadores probar sus monturas. Al patio se accede directamente desde la calle y por él entran a la plaza los matadores y sus cuadrillas.

El patio de caballos de la plaza de las Ventas en Madrid consta de una edificación de dos plantas. En la baja están las cuadras, la enfermería o sala de curas para los equinos, el guadarnés, un local para la prueba y depósito de puyas y banderillas. También el acceso a las galerías donde se celebra el apartado. En la planta superior está la vivienda del conserje y las oficinas.

En el mismo patio de caballos están la enfermería y la capilla. La enfermería consta de salas de operaciones, despacho para el médico y habitaciones para heridos. Se comunica directamente con el ruedo por medio de una galería.

La capilla es una pequeña dependencia de carácter religioso, lugar de oración y de espera para los lidiadores antes de comenzar la «función».

La puerta de arrastre. Por ella salen las mulillas al ruedo para arrastrar al toro, una vez muerto a estoque, hasta el desolladero.

El desolladero es una amplia nave cubierta, donde tras el desuello de la res, se preparan y limpian las carnes para su comercialización. La carne de toro es especialmente apreciada por los buenos gastrónomos. El solomillo, la entraña, el rabo y las criadillas son bocados tan peculiares como raros, difíciles de encontrar en el mercado convencional. Las tiendas y casas de comidas especializadas en la carne de toro gozan, durante la temporada, de una clientela fiel y adicta.

El patio de arrastre, conocido como «Desolladero», de la plaza de las Ventas de Madrid consta de locales para mayorales y carpintería en la planta baja. En la planta alta se encuentra la vivienda del mayoral de plaza, también llamado «corralero», que está comunicada con el corral destinado al desembarque de las reses. También están las oficinas de la empresa, otras pertenecientes a la propiedad de la plaza, que hoy día es la Comunidad Autónoma de

Madrid y antes fue la Diputación Provincial, e incluso una sala de prensa.

La puerta grande. Es la puerta de acceso principal. Por ella entran los alguacilillos para hacer el despeje de plaza y por ella salen en hombros los toreros en tarde de triunfo.

Los corrales. En la plaza madrileña de las Ventas, que nos está sirviendo de modelo, hay un total de ocho: siete descubiertos y uno cubierto. El mayor mide 27×14 metros y es el destinado al desembarque de las reses. Tiene acceso directo desde la calle y amplitud suficiente para el paso de camiones de gran tonelaje. Los cuatro principales tienen barreras en tres de sus lados y abrevaderos en fila en el cuarto lado, protegidos por cobertizas de 3,50 metros de vuelo. Los dos corrales más inmediatos a la plaza comunican con los locales cubiertos, dispuestos para el apartado de las reses, en número de ocho y unidos entre sí y con galerías superiores antepechadas para el público.

Uno de estos corrales se comunica con el patio de arrastre para el caso de retirar el ganado desechado.

Otras dependencias. En los graderíos existen otros lugares que destacan durante la corrida de toros. En primer lugar *el palco de la presidencia*, situado frente a la «puerta de cuadrillas», donde toma asiento el presidente y sus asesores, encargados de velar por el orden y funcionamiento del festejo. El palco de honor, real o de respeto, destinado a las más altas autoridades del Estado. Son célebres por su ornamento y lujo los de Sevilla, Madrid y Ronda.

Un reloj bien visible situado frente al palco de la presidencia es punto de referencia obligatorio en plazas de primera y segunda categoría.

Son plazas consideradas de primera: Madrid, Sevilla, Barcelona, Valencia, Zaragoza, Pamplona y Bilbao, así como Salamanca, Málaga, Ronda, El Puerto de Santa María, Murcia y Albacete, estas últimas no por el reglamento sino por el prestigio de que gozan entre los oficiales. De segunda, todas las capitales de provincia, Jerez de la Frontera, Cartagena y Antequera.

La banda de música que ameniza partes muy concretas del espectáculo, como el paseíllo, el arrastre del toro, las grandes faenas de los toreros, la bravura del toro, una excepcional suerte de varas o el tercio de banderillas, se sitúa por lo general en un palco o tendido preferente.

En la llamada meseta de toriles, situada sobre la puerta de chiqueros, suele tomar asiento el mayoral de la ganadería a la que pertenecen los toros y en algunas plazas los clarines y timbaleros, encargados de hacer audibles los cambios de tercio, los avisos o la señal de comienzo del festejo.

También en la meseta de

toriles hay una pequeña trampilla sobre el lugar donde se sitúa el toro segundos antes de que se abra la puerta del toril; desde ella un empleado de la plaza provisto de una pértiga procede a colocar la divisa —distintivo de colores que identifica a las reses según la ganadería a que pertenecen— que va sujeta a un arponcillo y se clava en lo alto del toro, que sale al ruedo, muchas veces, espoleado por el aguijonazo y deslumbrado por la luz del sol.

El *apartado* es la principal función previa a la celebración de la corrida de toros. Tiene lugar a las doce de la mañana del día de corrida. En las plazas más importantes las operaciones del apartado de los toros constituyen un rito inseparable de la corrida de la tarde, y son muy numerosos los aficionados y espectadores que acuden a presenciarlo.

El apartado consiste en separar los toros en los corrales de la plaza y encerrar a cada uno en el chiquero correspondiente. El corralero o mayoral de la plaza, junto al mayoral de la ganadería que se va a lidiar, se valen de una parada de cabestros —bueyes domesticados para manejar el ganado bravo— y de un hábil juego de puertas para apartar cada toro, aislándolos en corrales separados, y encerrarlos a continuación en el chiquero.

Anteriormente al proceso de apartado y enchiqueramiento tiene lugar el sorteo.

Los banderilleros, y a veces los apoderados, de cada torero emparejan a los toros en lotes de dos para cada matador, o de tres, si el festejo es «mano a mano», de modo que resulte lo más equilibrado posible. El más grande con el más chico; el mejor hecho con el peor; el de más pitones con el de menos; en fin, en el emparejamiento muchas veces prevalece la intuición o el puro capricho.

Una vez hechos los lotes, se anotan los números de las reses —es tradición hacerlo en papelillos de fumar— y, doblados o hechos pelotillas, se introducen en el sombrero del mayoral de la ganadería. Todos los toros de lidia llevan un número que los identifica, marcado a fuego en un costado. Luego los representantes del torero, generalmente el banderillero o peón de confianza, a veces el apoderado, ocasionalmente un amigo íntimo, y por riguroso orden de antigüedad del matador, extraen los papelillos.

A continuación, cada cual elige el orden definitivo de su salida al ruedo. Cada matador, por capricho o costumbre, tiene dadas instrucciones a su representante. Hay toreros que prefieren echar por delante el «bueno», otros el «malo», pero el criterio es aleatorio. Nadie sabe, a esas horas de la mañana, lo que el toro va a deparar por la tarde. Esta incertidumbre es de los más bellos misterios que encierra la corrida de toros.

El espada más antiguo lidia el primer toro y el cuarto, salvo si tiene que dar una alternativa, en cuyo caso matará segundo y cuarto. El segundo espada lidia el segundo y el quinto toros. En el caso de testificar la alternativa lidiará tercero y quinto. El espada más moderno actúa en tercero y sexto lugar. Excepto en el caso de recibir la alternativa, que mata el primero.

De todas formas —como todo en la fiesta de los toros—, dicho orden es a veces complejo y sujeto a innumerables variaciones, producto del azar de la lidia.

LA CORRIDA DE TOROS

Orígenes. El político malagueño Melchor Ordóñez fija el primer reglamento en el año 1852. Antes, la figura esencial de Francisco Montes, *Paquiro*, en su obra *Tauromaquia*, publicada en 1836, había dictado consejos sobre la ubicación y la construcción de las plazas de toros, sobre el mejor orden de la lidia, sobre las distintas suertes, de varas, con las banderillas, de capa, de muleta, de matar y sobre todo, escribe el gran chiclanero de la edad del toro, con este equilibrado juicio:

«La edad es otro de los requisitos que deben buscarse en los toros; la de cinco a siete años es la mejor, pues gozan en ella de la fuerza, viveza, coraje y sencillez que les son propias y les hacen tan a propósito para la lidia. Sin embargo, son muchos los toros que a los cuatro años están perfectamente formados y pueden presentarse y cumplir en la plaza mayor del reino».

Este criterio se ha seguido hasta nuestros días y el toro que se lidia en las plazas de toros en los albores del siglo XXI tiene cuatro años de edad y no parece que se vaya a modificar en futuros reglamentos. En el reglamento vigente se determina cuatro años como edad natural del toro.

En las corridas de toros hoy actúan sólo matadores de alternativa; pero esto no fue así siempre. En los primeros tiempos existía la costumbre de ceder la muerte de ciertos toros a subalternos distinguidos y a meritorios aprendices. Hoy se rige por la alternativa y la antigüedad de la misma. Siendo el más antiguo el cabeza de cartel, compuesto generalmente por tres matadores y en raros casos por cuatro, dos —que se llama mano a mano— o un solo espada.

El número de toros lidiados ha variado mucho a lo largo de los años. Hacia 1730 la corrida de toros ocupaba todo el día. Se lidiaban 10 toros por la mañana y 10 o 12 por la tarde.

A principios del siglo XIX el número ritual es de 16 toros. Por la mañana se lidian seis y por la tarde, diez. En 1814 cambia la costumbre y sólo se celebraba la corrida por la tarde.

El reglamento de Melchor Ordóñez establece en ocho el número de toros a lidiar. En 1868 el reglamento que autoriza el marqués de Villamagna prescribe tan sólo: «Las corridas serán de seis toros». Posteriormente se hace la aclaración de que puede aumentar el número a voluntad de la empresa.

Hoy las corridas se celebran generalmente por la tarde —matinales y nocturnas son excepcionales— y el número de toros a lidiar son seis. Muy rara es la corrida de ocho toros para cuatro espadas, que tuvo gran vigencia hasta la década de 1960 y que se mantiene, sobre todo, en la América taurina, México principalmente.

Novilladas. En la actualidad la novillada es una corrida que se celebra con el mismo rito y carácter que la corrida de toros, diferenciándose en ser novillos las reses lidiadas y no haber recibido la alternativa los matadores. Cuando no hay suerte de varas se llaman novilladas sin caballos.

Las novilladas se celebran con los diestros vestidos de luces y la lidia se lleva con el mismo orden y la seriedad propios de la corrida de toros.

En los novillos se da lidia y muerte a reses en puntas por parte de toreros principiantes. Novillero constituye una categoría entre los diestros a pie. Es el paso previo e imprescindible para llegar a ser matador de alternativa.

Novillo es, en certeras palabras de José María de Cossío: «Toda res vacuna que no se lidia como toro». Y esto es así porque se cuentan como novillos las reses procedentes del desecho de tienta o de cerrado, es decir, las que en la prueba de bravura no han dado el nivel exigido por el ganadero. O los que, por defectos físicos, no pueden jugarse en las corridas de toros.

Muchos novilleros hacen su aprendizaje con auténticos toros y en plazas casi imposibles, como las del valle del Tiétar (Ávila y Toledo), Guadalajara, Aragón y pueblos de la Comunidad Autónoma de Madrid. Por contra, y culpa de esta laguna reglamentaria, hay novilleros que, protegidos por influencias de todo tipo, lidian utreros y hasta erales.

Becerradas. Con este nombre se denominan los festejos celebrados con reses menores de tres años. Normalmente los torean novilleros incipientes. Los que muestran mayor aptitud pasan a lidiar novilladas sin picadores con reses de dos y tres años, es decir, con erales y utreros. Los más capaces lidiarán con picadores. Sólo un número limitado llega, mediante la ceremonia de la alternativa, a la categoría superior, la de matador de toros.

En la Escuela Taurina de Madrid figura esta inscripción: «Ser figura del toreo es casi un milagro; pero cuando se llega a serlo, un toro te podrá quitar la vida, pero la gloria jamás». Esta profunda y dura reflexión es del gran torero salmantino Santiago Martín, *El Viti*.

Aunque no intervienen en la lidia, son componentes necesarios para la celebración de la corrida de toros desde el presidente del festejo hasta los carpinteros; desde los alguaciles hasta los mulilleros.

Presidencia. El presidente de la corrida es como el juez-árbitro de la misma. Su misión es velar por que se cumpla el reglamento y en cierto modo, y de acuerdo con los lidiadores, regular lo que acontece en la lidia: ordenar el comienzo del festejo; la salida del toro; la salida de los picadores; los cambios de tercio; ordenar los avisos; conceder trofeos atendiendo a la petición del público y a la calidad de la faena; ordenar la devolución del toro a los corrales; la condena a banderillas negras; la vuelta al ruedo para el toro o el indulto en casos excepcionales; en algunas plazas hasta ordena tocar la música en las grandes faenas.

El presidente del festejo toma asiento en un palco preferente, normalmente situado frente a la puerta de cuadrillas. Las corridas son presididas por un funcionario del cuerpo superior de policía —en Madrid—, las autoridades locales —gobernador, alcalde, concejales— e incluso aficionados de reconocido prestigio, como en Bilbao y en las plazas del sur de Francia.

El presidente cuenta con dos asesores: un asesor veterinario y un asesor taurino, que suele ser un torero retirado, un subalterno de categoría retirado e incluso un aficionado de notoria competencia.

El presidente comunica sus órdenes mediante pañuelos de distintos colores: blanco para ordenar el comienzo del festejo, cambios de tercio, avisos y concesión de trofeos; verde para la devolución del toro a los corrales; rojo para las banderillas negras que sirven para castigar al toro manso que ha rehusado el tercio de varas; azul para premiar la bravura del toro con la vuelta al ruedo; naranja para el caso excepcional de perdonar su vida.

La señal del pañuelo va acompañada del correspondiente toque de clarines y timbales. Otra forma de transmitir las órdenes, casi siempre simultánea, es a través del delegado de la autoridad.

El delegado de la autoridad. Situado en el callejón, en un burladero próximo al palco presidencial, se comunica por telefonía con el presidente y de viva voz con los alguacilillos y los lidiadores.

En definitiva, el presidente de la corrida ejerce una importante y necesaria labor que suele ser juzgada como se merece por el público. Por ejemplo, es censurable la absurda y extravagante pretensión de algunos de asumir la dirección técnica de la lidia.

Alguaciles. Conocidos popularmente como alguacilillos, son los encargados de transmitir las órdenes del presidente y de hacer que se cumplan. También realizan el despeje de plaza y otorgan en mano los trofeos a los lidiadores.

Son como una «policía de plaza» y su labor, tanto antiguamente como hoy, es considerada antipática por el público espectador y por los lidiadores.

Los alguacilillos vestidos de negro con copa de estilo dieciochesco, tocados con sombreros emplumados de vistosos colores, son los encargados de encabezar el paseíllo que da inicio al festejo, a la corrida de toros.

El presidente en su palco, a la hora en punto señalada para el comienzo del espectáculo, flamea un pañuelo blanco y suenan clarines y timbales. A la vez asoman en el ruedo los alguaciles —dos normalmente, uno a veces—, montados a caballo, que cruzan el ruedo hasta situarse bajo el palco presidencial. Tras saludar destocados al presidente, cada uno recorre por separado, y en dirección opuesta, las tablas, hasta converger junto a la puerta de cuadrillas y ponerse al frente del desfile.

Estas evoluciones de los alguaciles son una reminiscencia del pasado, cuando era necesario «despejar» el ruedo de espectadores antes del comienzo de la corrida. Esto hoy es totalmente innecesario ya que es imposible acceder al suelo si no se actúa en el espectáculo. La tradición, sin embargo, se mantiene fiel a la ceremonia y aún hoy se llama despeje de plaza.

El paseíllo va a comenzar, pero antes vamos a retratar brevemente a los diversos componentes del festejo y resaltar su importancia, para nada menor, en el transcurso de la lidia.

Los carpinteros. Desempeñaron un papel imprescindible en la construcción de las plazas públicas para la celebración de fiestas taurinas. Era la madera la materia esencial de la construcción y los carpinteros, por tanto, eran necesarios tanto para la erección de tablados como para reparar los posibles desperfectos.

La construcción de plazas de fábrica permanentes hace que el papel de los carpinteros sea menos necesario. Hoy la misión de los carpinteros ha quedado reducida a reparar los posibles desperfectos de la obra de madera durante la corrida.

Hay que señalar que fue tal su importancia que llegaron a figurar en el reglamento: «En cada puerta de la barrera habrá dos carpinteros, para que, llegado el caso, puedan abrir aquélla, y no podrán bajar al redondel sino cuando tengan que componer algún desperfecto de la barrera, verificado lo cual regresarán a su puesto».

De tal manera se les consideraba auxiliares de la lidia que en una época no lejana (hasta 1950 o así), los carpinteros participaban en el paseíllo de cuadrillas formados detrás de los monosabios y por delante de los areneros.

Los monosabios. Desde siempre, y comprendidos con el genérico título de «chulos», tenían presencia en el redondel los mozos de caballos o cuadra, que asistían a los picadores, ayudándoles a montar, a levantarse cuando caían, a despojar a los caballos heridos de su montura y peto, a retirarles del ruedo, etc.

Suelen vestir con blusa roja o azul y pantalón azul oscuro, y se cubren con gorrilla del mismo color que la blusa. El nombre de monosabios es anecdótico. En el año 1847 se exhibió en Madrid una cuadrilla de monos en un teatro de la calle de Alcalá. Los monos vestían trajes encarnados como el uniforme de los mozos de caballos en la plaza de toros, y la gente de buen humor les llamó a éstos monosabios y con este apodo se quedaron y continúan.

Hay que hacer constar el mérito de estos hombres durante la lidia. El valor y el desprendimiento con que acuden a socorrer a los picadores en la misma cara del toro y hasta los quites a cuerpo limpio que en muchas ocasiones realizan por su buena colocación.

Los monosabios tienen un perfil inconfundible dentro de la lidia, ya que son los únicos, salvo los diestros, que pisan el redondel durante la misma.

Los areneros. Son imprescindibles para que el suelo de la plaza esté en condiciones para la lidia. La función de los areneros consiste en igualar el piso, removido por el arrastre de los toros o las pisadas de los caballos. También recogen los despojos o detritus de los equi-

nos y han de tapar huellas de sangre.

Los areneros tienen su importancia que, en cierto modo, se les reconoce al hacer el paseíllo detrás de los monosabios y antes de las mulillas que conducen los mulilleros. Una vez finalizado éste, comienzan su trabajo, empezando por el deterioro que en la lisura y limpieza de la arena hayan podido causar los caballos de los alguaciles, de los picadores o el paso de las mulillas.

En el curso de la corrida no saltan a la arena. Al caer el toro muerto es cuando entran en febril actividad hasta la salida del siguiente toro. Los areneros visten uniforme similar al de los monosabios, aunque el color de las blusas o pantalones suele ser de color verde o blanco.

Los mulilleros. Tienen la función de sacar a los toros muertos de la plaza y conducirlos por la puerta de arrastre al desolladero.

Las mulillas son una pareja o trío de mulas debidamente enjaezadas que se emplean para arrastrar al toro desde el lugar del ruedo donde ha caído muerto hasta el patio donde se encuentra el desolladero.

Dado que el espectáculo no era agradable, el corregidor de Madrid don Juan de Castro dispuso, ya en el año 1636: «Las mulas que sacan los toros salieran con grande bizarría; las gualdrapas de tela de plata, con armas reales; grandes montes de penachos, y pretales con mucha cascabelería». Indudablemente fue una gran disposición la de adornar las mulas con el barroco ornato que aún hoy subsiste.

Las mulillas cierran el paseíllo, inmediatamente detrás de los areneros, guiadas por los mulilleros encargados de conducirlas hasta el patio de arrastre.

Es gala de las plazas de categoría el mejor adorno de las mulas. En Madrid es famoso el espectacular adorno del trío de mulas en la corrida de Beneficencia.

Para cada corrida solía haber dispuestos dos enganches de mulas, pero en la actualidad, por lo general, basta con un solo enganche.

Es ritual que los mulilleros vayan descubiertos al arrastrar el toro. La salida al ruedo la hacen a todo galope —«con grande bizarría»— con gran resonar de la cascabelería, y salvo en el caso de que el toro merezca el honor de la vuelta al ruedo, que será lenta y solemne, enfilan de nuevo la puerta de arrastre a toda marcha.

EL PASEÍLLO

El paseíllo es el desfile de las cuadrillas con los matadores al frente, detrás de los alguacilillos a caballo. Es realmente vistoso, breve y solemne. Sorprendente, deslumbrante siempre. Un buen aficionado no se pierde nunca el paseíllo. Al comenzar el desfile, la banda de música atrona el espacio con un emotivo pasodoble.

El matador más antiguo, es decir, el de mayor tiempo de alternativa, se coloca en el lado izquierdo; el más moderno, en el centro; al lado derecho, el espada intermedio.

Detrás de los matadores marchan los tres banderilleros del primer espada; en la fila siguiente, los banderilleros del segundo matador y, a continuación, los del diestro más moderno, respetándose también de izquierda a derecha la antigüedad de cada uno. Luego, en fila de a dos y montados a caballo, desfilan los picadores, también siguiendo el orden de antigüedad de sus matadores. Picadores y banderilleros forman la cuadrilla, de la que también forma parte el mozo de espadas, que espera en el callejón al maestro para entregarle el capote de brega.

Cierran el paseíllo a pie los mozos de caballos, llamados «monosabios», los areneros y, acto seguido, las mulillas que arrastrarán al toro tras ser estoqueado, y los mulilleros, que suelen vestir vistoso uniforme de color blanco.

Roto el desfile, cada cual ocupará su lugar en la plaza. Los matadores y banderilleros, en el burladero más cercano a toriles; el «tercero», en el más alejado, el burladero que hoy, absurdamente, se llama de la «tercera suerte». Los picadores vuelven bordeando las tablas al patio de cuadrillas, que también es llamado con toda propiedad patio de caballos. Las mulillas y mulilleros desaparecen por la puerta de arrastre. Monosabios y areneros ocupan sus burladeros dentro del callejón.

Ha terminado el paseíllo, el solemne y hermoso prólogo de la corrida. Los lidiadores han desfilado envueltos —liados— en sus lujosos capotes ceñidos sobre sus vestidos de modo que el brazo derecho les quede libre, y sujeto al tronco, bajo el «capote de paseo», el brazo izquierdo.

Han desfilado todos cubiertos, menos los matadores nuevos en la plaza o que van a tomar la alternativa.

Han finalizado el paseíllo y saludado a la presidencia, leve y con respeto. Se dirigen al mozo de espadas, que aguardaba en el callejón, y cambian el capote de lujo por el de brega. La seda por el percal.

El espectador curioso habrá observado que antes de comenzar el paseíllo, junto al burladero de capotes, en la contera de la barrera, permanecen perfectamente alineados y doblados los capotes de brega, y cerca de ellos, vigilantes y firmes, en el callejón, los mozos de espadas y, unos pasos —pocos— más atrás, los solícitos «ayuda».

Los alguacilillos, a caballo, entregan las llaves del toril, simbólicos, al chulo de toriles, llamado torilero y encargado de abrir y cerrar la puerta del toril. En Madrid, y en algunas otras plazas, el chulo de toriles tiene el privilegio de vestir el traje de luces.

Tras otra cabalgada, saludan los alguaciles de nuevo al presidente y desaparecen del ruedo. A gran velocidad guardan los caballos en sus cuadras y pasan al callejón.

Cuando asoma el plumero de vistosos colores del más antiguo por la puerta, el presidente con su pañuelo blanco ordena la salida del toro.

Los alguaciles permanecerán en el callejón, donde cuidarán del orden de la lidia y transmitirán las órdenes del presidente a los lidiadores.

EL TORO. UNA APROXIMACIÓN

El espectador que acude a una corrida de toros, y no digamos el aficionado, debe saber cuál es la ganadería anunciada en el cartel, conocer su procedencia, sus características e incluso el momento que atraviesa. Hay ganaderías con toros excelentes que viven baches, ciclos de no embestir. Al contrario, ganaderías nuevas suelen gozar de unos años de gracia.

Ni el trapío ni la bravura del toro se alcanzan por puro azar. Detrás de cada toro hay una historia, un trabajo científico, mucho sacrificio físico e intelectual; una gran inversión de dinero, además.

La bravura del toro de lidia no es consustancial con sus orígenes. El ser humano, con su inteligencia y trabajo, logró perfeccionar una de las especies más exclusivas y hermosas de la naturaleza.

Desde el *Bos primigenius* —que tras importantes desplazamientos desde el centro de Europa, y no pocas mutaciones, se instaló en la península Ibérica— hasta el toro bravo hay una larguísima historia.

El toro, a pesar de su apariencia apacible, es un animal irritable, irascible. La mano del hombre, mediante distintos cruces, amoldó su asilvestrada figura para transformarla en belleza y bravura.

En el siglo XVII surgieron las ganaderías bravas. Por cierto que es un invento, una creación genuinamente española, y el ganado bravo que existe en el sur de Francia, Portugal y la América taurina —México, Colombia, Venezuela, Ecuador, Perú— procede de ganaderías españolas.

El ganadero cría sus toros en amplios espacios camperos, de climatología propicia. El toro vive y se reproduce, a la vez, libre y controladamente, de modo que se pueda proceder a su selección. El ganadero busca y selecciona la bravura mediante lidias experimentales de posibles progenitores. El ganadero observa minuciosamente la reacción de los animales ante el castigo en la suerte de varas y el comportamiento en el toreo de capa y de muleta.

Una vez superadas las pruebas —cada ganadero tiene establecido su propio baremo—, se eligen los mejores ejemplares, machos y hembras, destinados a reproducirse, a procrear futuros toros de lidia.

Esta prueba se conoce como tentadero o tienta. Tiene lugar en placitas cerradas que hay en todas las ganaderías —la plaza de tientas— o a «campo abierto», si se trata de probar las primeras reacciones de los machos jóvenes al ser derribados desde el caballo por medio de una pértiga en plena carrera por el campo. Esta operación se llama «acoso y derribo», y aunque es de gran belleza, apenas se utiliza hoy para seleccionar toros. El «acoso» se ha quedado como un deporte o juego más.

En buena lógica, no todos los animales tentados se aprueban. Los desechados se destinan para carne o para diversas funciones. Con los aprobados no siempre se acierta. La selección de vacas y sementales da, a veces, malos resultados. Por lo cual, las ganaderías, incluidas las de más prestigio, sufren baches o ciclos, en los que el juego de sus toros no se corresponde con su fama.

La bravura sola no basta. El toro debe reunir unos requisitos especiales, un aspecto físico, un tipo zootécnico. Un toro ideal, de cuatro años de edad, debe ser armónico, de peso medio, nunca superior a los 600 kilos; bajo de agujas; de manos más bajas que las patas: lo que se llama «cuesta abajo»; de cuello delgado y flexible. Tener, en suma, trapío, palabra utilizada para definir la presencia del toro. El trapío es tan variado como razas hay en la ganadería brava. El trapío no es una condición exacta ni medible. Cada ganadería tiene su trapío. El toro de Miura admite reses con más de 600 kilos, gracias a su esqueleto y su alzada. El toro de Santacoloma, al contrario, es muy bajo, fino y recortado; apenas alcanza los 500 kilos de peso en vivo.

El trapío del toro debe atenerse a estas cualidades: buena planta, peso acorde con su alzada, carnes musculadas, pelo brillante y limpio, morrillo grueso, desarrollado; patas finas, pezuñas pequeñas y redondeadas; cornamenta bien conformada; cola larga y espesa; ojos vivaces.

Pero ¿qué es el trapío sin la bravura? Nada. Sólo fachada.

La bravura del toro es su capacidad de lucha. Un impulso natural que le lleva a acometer a cuanto se mueve, le excite o le irrite. El toro bravo es el que acomete con fuerza y constancia, sin retroceder, y además lo hace con nobleza. El toro bravo embiste en rectitud, fijamente, con prontitud, sin cabecear, y repite las embestidas sin cansancio aparente.

Ningún toro es igual en su comportamiento, y este gran misterio es uno de los mayores atractivos de la lidia, en cuyo transcurso, como bien escribe José Antonio del Moral, tiene lugar «un verdadero ejercicio intelectual entre profesionales y expertos. Para los primeros, es la razón de su oficio; para los segundos, porque de ese juego depende el sentido de la afición».

Los profesionales y los aficionados son más competentes cuanto más capaces sean de conocer al toro.

LA SALIDA DEL TORO

Los prolegómenos —que dice el genial Matías Prats— han concluido. Apenas han durado cinco minutos. Ni siquiera ha dado tiempo para asimilar la emoción que el especial colorido y belleza del ritual previo al festejo le ha producido. Clarines y timbales resuenan de nuevo. El chulo de toriles comprueba, por última vez, que todo está en orden, y procede a abrir la puerta de chiqueros, el «portón de los sustos».

El toro ya está en el ruedo. Un ¡oh! admirativo saluda su aparición en la arena. El toro sale alegre —en el mejor de los casos— con la cara alta y, fijo en los movimientos del peonaje, remata en tablas, o sea, da un derrote o cabezada sobre los tableros o sobre el burladero. Se arranca en cualquier terreno, no retrocede ni escarba, y embiste a la capa del torero con rectitud y nobleza.

Pero esto no ocurre siempre. El toro sale muchas veces como cansino, triste, distraído; escarba y sale huido, con la cara alta por encima de las tablas, «barbeando», y huye o retrocede ante el capote o, peor aún, se entablera, se acula en la barrera.

Fijarse en el toro es condición imprescindible y fundamental para comprender el desarrollo de la lidia. Nunca hay que perder de vista sus evoluciones, sus cambios de comportamiento. Así hacen los grandes toreros y asimismo los buenos aficionados.

El gran escritor y crítico taurino José Antonio del Moral lo expresa con verbo elocuente: «Sin toro no hay lidia y sin lidia no puede haber toreo porque ambas tareas están estrechamente ligadas entre sí».

Al toro hay que seguirlo, por tanto, desde que «salta» al ruedo hasta que es arrastrado por las mulillas.

El toro, y continúo siguiendo a José Antonio del Moral, tiene dos tipos de reacciones. Unas que se producen de forma espontánea y otras producto de la acción del torero.

Las acciones espontáneas tienen que ver mucho con la raza, la crianza y la vida del toro en el campo hasta llegar a la plaza. No se puede ni debe desdeñarse lo ocurrido con el bóvido desde el embarque al desembarque, y en las operaciones de apartado y enchiqueramiento. Tampoco se pueden obviar las pruebas a que son sometidos en el preceptivo reconocimiento veterinario, y menos aún si, como en Pamplona, han sido corridos por las calles.

El toro ha pasado en breve tiempo de la apacible tranquilidad de la vida en el campo a un encuentro con lo desconocido. Su apacible —solo en apariencia— carácter ha sido sometido a una gran excitación.

El embarque en camiones; el viaje largo e incómodo en estrechos compartimientos; el desembarque en los corrales; el reconocimiento veterinario; el pesaje; el apartado; el enchiqueramiento. En definitiva, una rapidísima y agobiadora sucesión de cambios que le provocan una especie de «estrés».

En Pamplona, al ser corrido por las calles, el toro se descongestiona en la breve carrera y, por lo general, da un juego superior que en otras plazas como Sevilla, Madrid o Bilbao, donde permanece muchas horas en los corrales y en chiqueros.

Las reacciones espontáneas del toro provienen de su capacidad retentiva, de la memoria. El toro es un animal de enorme memoria. Es fácilmente comprobable su tendencia a buscar las puertas por donde ha pasado anteriormente. A buscar la salida por donde ha entrado.

Otro ejemplo, fácilmente verificable, es cómo se acuerdan del lugar donde han sido heridos o donde ellos han herido.

Estas fijaciones del toro se llaman, en el argot taurino, «querencias». Las querencias más comunes son la de toriles, la de tablas y la de caballos.

Reacción espontánea, y propia de su raza, es la de salir correteando, distraídos, sueltos, sin hacer caso de nada ni de nadie. A estos toros se les llama abantos y son muy característicos los que proceden de Murube-Ibarra-Parladé.

Luego vienen las reacciones producto de la lidia, las provocadas por el buen o mal hacer del torero, del lidiador. Antes bien, hay que tener en cuenta, muy en cuenta, que el comportamiento del toro no es uniforme, que está sujeto a múltiples variaciones. Así, hay toros que acentúan sus defectos y aumentan su condición a lo largo de la lidia y hasta su muerte. Otros, al contrario, se corrigen y mejoran según avanza la lidia y acaban resultando espléndidos. Otros, y no es raro, salen boyantes y terminan aquerenciados, rehúsan la pelea y desarrollan peligro. Son los misterios de la lidia.

LA LIDIA

Lidia se puede entender como el conjunto del combate que sostienen toro y torero. Domeñar y dar muerte a una fiera. El conjunto de suertes que se practican con el toro desde que sale del toril hasta que se arrastra.

La lidia es aprovechar con inteligencia las reacciones del toro para mejorar su comportamiento. Si es de buena condición, una buena lidia sería mantener dichas cualidades hasta darle muerte. Si no es tal, la lidia sería mejorar dichas condiciones, pues hay toros abantos de salida, que mansean en el caballo y que luego toman la muleta con nobleza.

Si el toro es de pésima condición, lidia se llamaría al hecho de aliviar dicha condición.

La lidia está dividida en tres tercios: el de picar, el de banderillear y el de matar. En este último tercio tiene lugar la faena de muleta, fundamental para valorar una buena o mala lidia.

La división en tres tercios tiene toda la lógica y utilidad de lo creado a través del tiempo. Capas, puyas, banderillas, muleta y estoque son los instrumentos del diestro para el «combate» con el toro. Todo ha ido evolucionando y adaptándose al momento más oportuno de su empleo.

Los dos primeros tercios, sucesivamente encadenados y ordenados, sirven, teórica y prácticamente, para que el toro llegue al último en la mejor disposición para ser toreado de muleta y se preste a la estocada. Las suertes del toreo se han ordenado en una secuencia llena de sentido, tanto en busca de la eficacia como del mejor rendimiento artístico.

Eliminar o, mejor, evitar resabios es otra de las facetas más fascinantes de la lidia. Resabios son los vicios que el toro aprende en el transcurso del «combate». El lidiador tiene que evitar que el toro aprenda más de lo que conviene. Por tanto, es necesario que el torero piense y resuelva rápidamente ante la cara del toro.

Lo que mejor define el valor del torero es la cualidad de resolver, decidir y conducir, en décimas de segundo, lo que más convenga. Un ejemplo: el toro de salida no sabe embestir, sólo acomete; es el torero el que le enseña a embestir.

El toro aparece en el ruedo. Los banderilleros y el matador estudian las embestidas del toro al tiempo que tratan de pararle y de fijarlo en los capotes. La capa —el capote de brega— es el instrumento que se emplea para fijar, sujetar al toro y lancear todo lo eficazmente que se pueda o, mejor aún, hacerlo con lucimiento y crear belleza.

A la lidia con el capote se le llama brega. Una brega breve, sobria y eficaz puede tener tanto o más valor que una lucida. Todo depende del toro.

Las primeras e inciertas embestidas son fijadas generalmente por los banderilleros con el capote de brega. Uno de ellos, llamado peón de confianza, lo recibe con los primeros capotazos, que deben enseñar al toro a embestir por derecho. Por tanto ha de hacerse en rectitud, sin recortar ni violentar al toro ni excederse en el número de capotazos. A continuación sale el matador —a veces es él quien recibe al toro— y comienza propiamente la lidia.

Lo lógico, lo que normalmente vemos en una corrida de toros, es que el banderillero fije al toro con unos breves y escasos capotazos y el matador se haga presente enseguida para torear lucidamente de capa en los llamados lances de recibo, antes de que clarines y timbales anuncien la salida de los picadores.

Los lances de capa, para mejor desarrollo de la lidia, han de hacerse con el capote adelantado, de arriba abajo, por derecho y en rectitud, adecuada a la velocidad del toro para que no enganche el engaño y alargando la salida en cada capotazo.

Si el toro tiene velocidad —muchos pies, se dice— y es fuerte, debe tomarse de largo; si el toro tiene menos fuerza se ha de hacer tomándole más en corto. Todo ello debe realizarse despacio, sin violencias, tironazos ni recortes.

TERCIO DE VARAS. PICADORES

La importancia del picador, recuerdo del caballero en plaza, persiste durante mucho tiempo. Durante todo el siglo XVIII, el picador permanece en la plaza durante el transcurso de toda la lidia y hasta la muerte del toro y, en caso de ser acometido, cumplía su función de picar en cualquier momento.

Cuando el picador desaparece del ruedo, al comenzarse a banderillear, quedan perfectamente definidos los tres tercios de la lidia.

Hasta 1930 los picadores se situaban en el ruedo antes de la salida del toro: a la derecha de toriles, a cinco metros de la puerta, el picador más moderno; separado por una distancia de siete metros, el picador de mayor antigüedad.

El reglamento de 1930 establece lo siguiente: «A la salida del toro estarán los picadores de tanda preparados a la puerta de caballos, y en cuanto el toro haya tomado los capotes saldrán a indicación del presidente».

La tanda de picadores por cuadrilla es de dos y tan sólo dos pueden estar simultáneamente en la plaza.

El tercio de varas, en cierto modo, es como una tienta hecha cara al público. En él se mide y califica la bravura del toro.

El picador debe marchar siempre de tal manera que la barrera esté en todo momento a su derecha. El picador lleva la pica en la mano derecha. Así, en cualquier momento que el toro le embista, con sólo hacer girar un cuarto de vuelta a su caballo o como mucho media vuelta, se encontrará en disposición de consumar la suerte.

Los matadores y sus banderilleros han de colocarse al lado izquierdo del caballo, una vez colocado el toro para la suerte, y permanecer atentos mientras se pica, sin adelantarse hasta el momento de hacer el quite.

La importancia de llevar el orden es muy importante para evitar barullos, atropellos o accidentes que luego acusará el toro —para mal— en el resto de la lidia.

El tercio de varas es uno de los más importantes y, sobre todo, resulta imprescindible para calibrar la bravura del toro. La primera finalidad de la suerte de varas es quebrantar la violencia del toro para que sus embestidas se presten mejor al toreo.

La suerte de varas también sirve para corregir algunos defectos del toro, por ejemplo llevar la cara alta.

La puya. Es el instrumento con el que se pica a los toros. Ha sufrido continuas modificaciones a lo largo de la historia. La actual va provista de una cruceta al final, para impedir que los picadores introduzcan el palo.

Para que la suerte de varas salga lo mejor posible, el picador debe ser un buen jinete e ir, por tanto, perfectamente montado en un caballo domado expresamente para realizar la suerte. El caballo no debe ser ni muy pesado ni muy grande.

El picador que realiza la suerte se colocará en los terrenos opuestos a la puerta de toriles. El espectador habrá observado que en el ruedo hay dos círculos concéntricos pintados de blanco. El picador se sitúa lo más cerca de la raya próxima a la barrera. El toro debe quedar colocado tras la segunda raya. Lo ideal es que el picador cite de frente, señale el puyazo en lo alto y una vez que el toro haya sangrado, le dé salida por delante, abriendo el caballo por el lado izquierdo, momento en que el matador de turno o un banderillero entrará al quite con el capote y sacará al toro de la suerte. Esta acción se llama quitar y tiene especial emoción cuando se hace en un lance de peligro, al derribar el toro al caballo y quedar el picador al descubierto. Pero el quite adquiere también grandeza cuando el matador ejecuta una serie de lances lucidos para volver a colocar el toro frente al caballo.

El número de puyazos ha sido siempre muy variable, ya que depende de la fuerza —mucha o poca— de la res, de la bravura o mansedumbre, del criterio del matador o incluso del arbitrio de la presidencia.

La suerte de varas no es agradable para el espectador ocasional, pero no sólo es necesaria, sino que a veces es fundamental y bellísima cuando se realiza en plenitud. Cuando se amoldan, como una escultura viviente, toro, torero —en este caso, el picador— y caballo.

Ahora bien, en el toreo actual no todo es la suerte de varas. El tercio de varas debe ser lo más equilibrado posible. Valga la reflexión del mencionado José Antonio del Moral: «La suerte de varas debe aplicarse con la máxima flexibilidad para comprobar la bravura del toro, pero no para que imposibilite el toreo. La suerte de varas debe ser el pórtico de la bravura, nunca un final en sí misma».

La bravura del toro que acude dos o más veces al caballo posibilita competencia de los matadores en quites. El matador de turno debe hacer su quite tras el primer puyazo; los otros dos matadores tienen derecho tras el segundo y el tercer puyazo. También pueden renunciar a intervenir —algo deslucido y censurable—, en cuyo caso lo hacen los peones de brega del matador de turno. El llamado «tercero» suele acompañar al segundo picador, que ha permanecido en la puerta de caballos, atento a la lidia y presto a una probable pero nunca deseable intervención.

La actitud y las reacciones del toro en la suerte de varas son seguidas con gran atención por los lidiadores a pie. De ello depende, en gran parte, el comportamiento del toro en la muleta, en el último tercio. El buen aficionado no puede, ni debe, perder de vista al toro ni al torero. La observación del toro, de sus actitudes y reacciones, permite poco a poco, y nunca del todo, ir desvelando lo que con razón se ha denominado «los misterios de la lidia». Lo que en acertadísimo dicho popular se traduce por «de toros no entienden ni las vacas».

Signos positivos del toro en el tercio de varas son los siguientes: prontitud y fijeza en la embestida; arrancarse de lejos a la llamada del picador y en rectitud; no escarbar ni mugir; en la reunión con el caballo —embroque— meter la cabeza abajo, sin moverla, ni golpear los estribos; fijo en el peto, sin volver la cara ni salir huido; al contrario, recargará con los riñones, e intentará levantar al caballo con la fuerza de su cuello —«romanear»— y, si puede, lo derribará.

Detalles negativos, indicativos de mansedumbre, son: pararse, distraerse, tardar en embestir, hacerlo en zigzag, regateando, no acudir de lejos, escarbar, mugir, abrir la boca, llevar la cara alta, golpear los estribos, mover la cabeza, buscar la grupa del caballo, volver la cara, salir huido, cocear o buscar la puerta de chiqueros.

SEGUNDO TERCIO.
LAS BANDERILLAS

El tercio de banderillas tiene por finalidad reanimar al toro tras el quebranto sufrido en varas. Por ello, a las banderillas se les llamó avivadores y también alegradores. La verdad, como muy bien señala José María de Cossío, es que sólo a medias se cumple este fin.

Antiguamente se clavaban de uno en uno los arponcillos y en cualquier momento de la lidia. En la *Tauromaquia* de Pepe-Hillo ya se clavan a pares y desde entonces, 1796, no ha cambiado el carácter de este tercio.

Los encargados de poner banderillas son los peones, a quienes por esta razón se llama banderilleros, si bien por lucimiento lo practica algunas veces el matador. Aunque hoy día proliferan los matadores-banderilleros con tal abuso que un tercio siempre vistoso ha quedado un tanto devaluado. Pero para recordar la excepcionalidad, cuando el matador toma las banderillas suena la música en todas las plazas, excepto en Madrid.

El primer banderillero clavará dos pares y el «tercero» un solo par, el intermedio. El segundo banderillero actuará como peón de brega y auxilio en caso de peligro. En el otro toro del lote, es el primer banderillero el que brega y el segundo el encargado de clavar los pares, primero y tercero.

Los dos matadores a los que no corresponde la muerte del toro también auxilian en la brega, y sobre todo están atentos al quite. El matador que actúa en siguiente turno se coloca en los medios y el otro espada, en el tercio, donde está la raya de picadores más próxima a la barrera.

El número de pares de banderillas estuvo hasta muy recientemente al arbitrio del presidente. En el vigente reglamento se establecen los tres pares de banderillas.

Una vez picado el toro, el presidente, con su pañuelo blanco, ordena el cambio de tercio. El tercio de banderillas comienza cuando los picadores han abandonado el ruedo. Mientras banderillean los peones, el matador permanece junto a la barrera, antes de coger la muleta, atento al juego del toro.

Hay que fijarse en cómo acude el toro al encuentro con el banderillero. Si lo hace al galope, con prontitud, o si se distrae o tardea en la embestida. Si acude con fijeza o, por el contrario, corta el terreno. Si arranca de largo o en corto. Si embiste en rectitud o se vence por algún lado. Si persigue al banderillero tras clavar o se para o se aquerencia o sale huido. También hay que tener en cuenta si berrea (llora), cocea o cabecea (se duele).

También se estará atento a cómo el toro toma el capote del peón de brega. En el tercio de banderillas el toro descubre sus cualidades —buenas o malas— que luego desarrollará en el último tercio. No sólo hay que estar atento a cómo se clavan las banderillas, sino también a cómo el peón de brega lleva la lidia. No molestar al toro, dar pocos capotazos, incluso ninguno, es señal de una buena lidia.

La banderilla. El instrumento actual para la suerte de banderillas es un palo cilíndrico de unos 70 centímetros de largo, adornado con papeles rizados de vistosos colores y armado en uno de sus extremos con un arponcillo de 6 centímetros para que quede clavado en lo alto del toro.

Las banderillas deben clavarse por ambos lados del toro. Dos pares por un pitón y un par por el contrario. La suerte, por lo general, se realiza en el tercio, entre las rayas de picadores y los medios. La brevedad del tercio es una señal de buena lidia.

El tercio de banderillas no sólo sirve para desahogar al toro del duro combate con el picador y el caballo, sino que sirve para estudiar y analizar si el toro ha mantenido las buenas o malas condiciones mostradas. Si se ha venido arriba, si ha mejorado o, por el contrario, se ha venido abajo y ha empeorado. En definitiva, sirve para descubrir aspectos del toro no vistos en la suerte de varas. A veces se aprecian nuevas virtudes y mejora de su condición. Otras acentúa sus defectos. Otras, desaparecen las buenas condiciones, el toro no soporta más la lidia. Se viene abajo, se raja, en fin. El tercio de banderillas es vistoso, emocionante y bello. Las banderillas es el tercio de suertes más limpias, curiosas y gallardas de toda la fiesta.

SUERTES DE BANDERILLAS

La primera de todas, la más practicada de todas las que se ejecutan en movimiento, es el «cuarteo». Las tauromaquias de Pepe-Hillo y Paquiro, escritas en 1796 y 1836, respectivamente, explicaban la suerte al cuarteo.

El banderillero, para citar, se coloca en los terrenos de fuera, hacia los medios, el cite se hace a la voz, y a la vez, con movimiento del cuerpo y de los brazos. En el momento preciso que el toro arranca, el banderillero saldrá en curva hasta el encuentro «cuadrado» con el toro. El banderillero sacará los brazos de abajo arriba, en el instante que el toro humilla —es decir, baja la cabeza—, clavará en lo alto del toro y saldrá por pies del encuentro con agilidad y grandeza.

Para que el par resulte lucido, el banderillero debe llegar despacio, casi andando, hasta provocar la arrancada del toro, cuadrándose con él, reunirse con los palos a la altura de la frente y mirar al morrillo, entre los brazos, al clavar —lo que se llama en términos taurinos «asomarse al balcón»— y, sobre todo, salir de la suerte con naturalidad.

El banderillero debe «dejarse ver» por el toro en el cite y clavar juntas las banderillas, para lo cual juntará las manos, levantará los codos y juntará también los pies: «juntar las zapatillas».

En el caso de estar el toro colocado en los medios y el banderillero por dentro, o sea arrancando desde las tablas, el par al cuarteo se denomina «de dentro afuera».

De poder a poder. Es un cuarteo casi frontal. El banderillero se coloca frente a frente con el toro. Mejor de largo que en corto. Arrancan a la vez y, muy cerca del toro, el banderillero cuartea y clava el par. Es una suerte de gran riesgo y, por tanto, de enorme emoción y belleza.

De sobaquillo se llama a banderillear cuando ha pasado la cabeza del toro, es decir, a un par «sin cuadrar», sin reunir. Tiene poco o ningún mérito, y sólo debe realizarse con toros que cortan el terreno o muy quedados o peligrosos.

Al sesgo. Es una suerte que tiene gran valor, ya que se practica con toros muy agotados. El toro está arrimado a tablas, instinto característico de toro agotado. En tal terreno ha de llegar el banderillero con rapidez y sesgado a la posición del toro.

Al quiebro. Es la suerte de burlar al toro mediante un movimiento rápido de cintura, esperándole parado y a cuerpo limpio. El banderillero cita en corto o a media distancia, frente al toro y a pies juntos. Cuando el toro arranca, aguanta sin moverse; en el momento de la reunión le marcará la salida por uno u otro pitón, para lo cual sacará la pierna correspondiente hacia el lado que pretenda darle salida. Al humillar el toro, volverá a juntar los pies al tiempo que clavará las banderillas. El toro continuará su inicial viaje y el banderillero quedará en el suyo, garbosamente.

A esta bellísima suerte también se le llama «al cambio». Tiene mayor mérito y belleza si el diestro quiebra la embestida sólo con la cintura, sin mover los pies.

A la media vuelta era la forma antigua de banderillear. Hoy tan sólo se admite con toros *pregonaos*, o sea, toros muy peligrosos. El banderillero se coloca detrás del toro, en el costado, y clavará en el momento que vuelva la cabeza.

A lo largo de la historia ha habido muchos y grandes banderilleros, tanto en la fila de los peones como entre los matadores de toros. Es necesario hacer una breve semblanza de los mejores banderilleros y picadores, de los hombres que han escrito la historia de los dos primeros tercios de la lidia, el de varas y el de banderillas, antes de entrar en el todavía más complejo último tercio, el de muleta.

SEMBLANZA DE LOS GRANDES PICADORES

A principios del siglo XVIII, el toreo a caballo deja de ser un pasatiempo cortesano para convertirse en trabajo profesional. Al ser estos profesionales, generalmente oriundos del campo, vaqueros a caballo, empiezan a ensayar maneras de quebrantar a los toros con el instrumento que les es más familiar, la garrocha, y con el estilo practicado en el pastoreo de los toros.

Los varilargueros y sus faenas de campo se insertan en la tradición de la más noble suerte del toreo a caballo.

Éstos son algunos, no todos, de los nombres propios que han hecho historia del noble arte de picar toros. Sigo al impagable José María de Cossío, y por orden alfabético.

Antonio *Acosta, Pucherete*. Picador de Jerez de la Frontera (Cádiz), que actuó con Juan Belmonte y luego con su hijo Juan Belmonte Campoy. Muy seguro en la suerte, buen jinete.

Manuel *Aguilar, Carriles*. Actuó como picador a las órdenes de Machaquito, Rafael, *El Gallo*; el gran Joselito, *El Gallo* (hasta la muerte de éste en Talavera de la Reina el 16 de mayo de 1920); Manuel García, *Maera*, y con Manolo Bienvenida. Es sin duda uno de los mejores picadores de su época. Un gran caballista, apuesto y gallardo, de estilo depuradísimo.

Bernabé *Álvarez, Catalino*. Toreó, entre otros, con Belmonte, Gallito, Sánchez Mejías, Marcial Lalanda, Cagancho. Picador alegre y vistoso, de fuertes brazos.

Miguel *Atienza y Caro*. Nació en Trebujena (Cádiz). Figuró, entre otras, en las cuadrillas de Antonio Márquez, Marcial Lalanda, Victoriano de la Serna —con el mayor sueldo cobrado hasta entonces por picador alguno—, Domingo Ortega, Manuel Rodríguez, *Manolete*, Julio Aparicio, Rafael Ortega y César Girón. Se retiró en 1957. Picador valentísimo y de estilo depurado, pasó a la historia por inventar la «carioca», recurso para picar a los toros mansos. Creó una gran dinastía de picadores. José, Antonio, Rafael, Francisco y Manuel Atienza han sido destacadísimos picadores.

José *Bayard, Badila*. Fue un personaje genial, de

verdadera leyenda. Nació en Tortosa en 1858, de padre francés y madre española. Era muy valiente, de elegante figura. Fue siempre protegido del gran Salvador Sánchez, *Frascuelo*. Luego trabajó con Ángel Pastor y con Luis Mazzantini, al que le une además su común afición por la música. Badila tocaba el piano y cantaba zarzuela. Además de picar toros, practicó el rejoneo y el toreo a pie. Innovó el vestido de picador, desde la chaquetilla hasta la calzona e incluso la funda de hierro que cubre la pierna, llamada «mona». Murió el 28 de febrero de 1906.

Antonio *Calderón*. Fue el fundador de una gran dinastía de picadores y toreros a pie. Permaneció ventisiete años en activo y actuó a las órdenes de toreros de la talla de El Chiclanero, Cúchares, El Salamanquino, El Tato y El Gordito.

Francisco *Calderón*. Hermano de Antonio Calderón, fue el picador más célebre de su época. Era un jinete habilísimo, formidable. Figuró en las cuadrillas de los mejores toreros de la época; el último que le llevó en la suya fue el gran Salvador Sánchez, *Frascuelo*. También destacaron, pero menos, sus hermanos Manuel y José Antonio Calderón Fuentes, hijo de Antonio, y su hijo José María Calderón.

Antonio *Codes*, *Melones*. Picador nacido en Madrid, que figuró en las cuadrillas de Nicanor Villalta, Marcial Lalanda y Victoriano de la Serna. El crítico Ventura Bagües, *Don Ventura*, escribe de él: «Muy buen picador. Tira el palo y pega a las reses con arte; destacan sus dotes de jinete y apostura a caballo. Nos recuerda a Badila». Sus hermanos Francisco y José también fueron picadores de categoría.

Joaquín *Coyto*, *Charpa*. Sobre este afamado picador sevillano escribe Manuel Gaona Puerto en la revista *Sol y Sombra*: «Fue *Charpa* uno de los más distinguidos en el primer tercio de la lidia en la época de Montes, Chiclanero y Cúchares. Su gallardía a caballo, su brazo de hierro, el modo de entrar y salir de la suerte, eran admirables». Se retiró en el año 1868.

Antonio *Chaves*, *Camero*. Nacido en Camas (Sevilla). Tras actuar en la cuadrilla del gran maestro mexicano Rodolfo Gaona estuvo con Joselito, *El Gallo*, hasta la muerte del gran torero en Talavera. Era famosa la frase de su maestro: «Camero delantero». Valgan estas palabras de Cossío para significar su enorme clase: «No es preciso hacer nuevo elogio de este picador, de los primeros, si no el primero de su tiempo».

Manuel de la *Haba*, *Zurito*. Magnífico picador cordobés y creador de una gran dinastía de picadores, banderilleros y matadores de toros. Actuó en la cuadrilla del gran Rafael Guerra, *Guerrita*, y con el elegante Antonio Fuentes.

SEMBLANZA DE LOS GRANDES PICADORES

José María de Cossío da de él el siguiente juicio: «Fue uno de los picadores verdaderamente extraordinarios que ha tenido el toreo».

Agustín *Ibáñez, Marinero*. Picador fino y artista que nació en Carrión de los Condes (Palencia). Trabajó en las cuadrillas de Pacomio Peribáñez, Antonio Fuentes, Manuel Bienvenida —el famoso «Papa Negro»—, Gaona, Antonio Márquez, Félix Rodríguez, *Cagancho*; Domingo Ortega y Luis Gómez, *El Estudiante*, un amplio plantel de grandes figuras del toreo, que da idea de su gran calidad.

Antonio *Marín, Farnesio*. Gran picador madrileño que actuó en las cuadrillas de Vicente Pastor, Rodolfo Gaona, el gran Joselito hasta su muerte en Talavera, Sánchez Mejías, Granero, Valencia II, Marcial Lalanda, Vicente Barrera. En fin, siempre con grandes figuras del toreo. El crítico Manuel Serrano, *Dulzuras*, escribió de él: «Farnesio ha sido una de las mejores figuras de su época. Decidido y efectivo».

Manuel *Martínez, Agujetas*. Picador madrileño que actuó en la cuadrilla de Salvador Sánchez, *Frascuelo*, y luego con Ángel Pastor y Luis Mazzantini. Formó con Badila una pareja fantástica. Estuvo más de treinta años en activo. González de Ribera le dedica este elogio: «Todo puede darse por bien empleado habiendo visto picar a Agujetas. Es mucho Agujetas».

Juan Antonio *Mondéjar, Juaneca*. Guillén Sotelo escribe: «Es Juaneca un picador de arrogante figura y hábil arte pero de carácter poco subordinado. Recorrió todas las cuadrillas de importancia sin echar raíces en ninguna. Acusado de un asesinato, se suicidó en la cárcel el 2 de marzo de 1890, dejando escrito que no podía vivir siendo tenido por un asesino cuando nada tenía que ver en el desgraciado suceso».

Anastasio *Oliete, Veneno chico*. Picador vallisoletano que en algunas ocasiones actuó como peón. Picó mucho en las plazas de Bilbao y Madrid en las cuadrillas de las más grandes figuras de la época. La última, Fermín Espinosa, *Armillita*, con el que marcha a México en 1925. Al regresar se retiró de la profesión para dedicarse con gran éxito a la contrata de caballos.

Ángel *Parra, Parrita*. Picador nacido en Marchena (Sevilla) y miembro de una importantísima dinastía de picadores, banderilleros y matadores de toros. Ángel figuró, entre otros, en las cuadrillas de Nicanor Villalta y Domingo Ortega. Dice Cossío: «Parrita es uno de los picadores que más fuerte pega a los toros; sin que ello quiera decir que no posea arte, conocimientos y dominio de la suerte, que le sitúan en uno de los primeros lugares entre los picadores».

Antonio *Pinto*. Nacido en Utrera (Sevilla), fue un

picador representativo del profesional de la vara procedente del campo y con toda la tradición campera sobre sí. Mereció pasar a la historia del toreo como uno de los grandes picadores de cualquier tiempo. Figuró en las cuadrillas de La Santera, Manuel Trigo, Cúchares, Juan León, El Tato, Bocanegra y Cara-Ancha. Murió en Utrera el 17 de diciembre de 1890.

Carlos *Puerto*. Figuró en las cuadrillas de Manuel Domínguez, de Francisco Montes, *Paquiro*, y Juan Yust, que admiraron su destreza y su arte. En 1850 actuó con El Chiclanero. En 1852 con El Salamanquino. El 25 de julio de ese año, en El Puerto de Santa María, el toro *Medialuna*, cornialto, colorao, careto y ojo de perdiz, le produjo una mortal cornada. El cuerno le atravesó todo el cuerpo, penetrando por la ingle derecha, hasta salir por un costado, destrozándole el vientre. Murió cuatro días después, el 29 de julio.

Francisco *Puerto*. Hermano de Carlos Puerto. Fue también un destacado picador a las órdenes de los grandes de su época, como Manuel Domínguez, Francisco Montes, Curro Cúchares, El Salamanquino y Cayetano Sanz. Se retiró del toreo en 1856. Se casó con la viuda de Francisco Montes, *Paquiro*.

Antonio *Sánchez*, *Poquito Pan*. Picador sevillano que figuró en las cuadrillas de El Sombrerero y Francisco Montes, *Paquiro*. Valga este juicio del historiador y crítico taurino José Sánchez de Neira para comprender la importancia de este picador: «El picador más fino que hemos conocido. Su mano izquierda era envidiable, y aunque no apretaba tanto como otros, su colocación y, sobre todo, su entrada a los toros parados eran inmejorables».

Juan de *Santander*. Es uno de los grandes pioneros. Aparece en Sevilla en 1730 y los testimonios de sus contemporáneos no dejan lugar a dudas. Don José Daza le elogia en estos términos: «Por su gran manejo a caballo, primoroso y raro estilo de picar, juicioso denuedo, particular conocimiento, circunspección y entereza de ánimo con los toros, adquirió el honroso epíteto de maestro de todos».

Francisco *Sevilla*, *El Troni*. De este picador de toros confiesa Cossío: «Son muy parcos los biógrafos en dar precisiones sobre la vida de este gran lidiador y no he sido mucho más afortunado en el empeño». Sin embargo, Sevilla es elogiado grandemente por Próspero Merimée y por Teófilo Gautier. José María de Cossío concluye: «Los elogios al lidiador de dos grandes escritores románticos franceses, el picar consecutivamente once años en la plaza de Madrid y a las órdenes de Francisco Montes, *Paquiro*, dan la más alta idea de su mérito».

Manuel *Suárez*, *Aldea-*

no Chico. Actuó a las órdenes de toreros tan importantes como Luis Fuentes Bejarano, Lorenzo Garza y Victoriano de la Serna. Buen caballista, con alegría en la ejecución de la suerte, pegaba bien a los toros. Por ello merece estar entre los mejores.

José *Trigo*. Picador de la época romántica, compañero de Francisco Sevilla. Sánchez de Neira dice de él: «Ha llegado su nombre a nosotros aureolado por el máximo prestigio, y se le considera en la historia como uno de los mejores picadores». Por contra, García Tejero escribe: «Trigo, a quien se apellida el picador de la época, no siempre está con fortuna: le he visto gatear por la valla, dejar tendidos sobre la arena multitud de jacos».

Juan *Trigo*. Hijo de José Trigo. Fue un gran tipo de torero. Dotado de un físico extraordinario y de una inteligencia particular, llenaba los ruedos con su presencia. Sánchez de Neira escribe este breve y certero juicio: «Formó, como su padre, en la primera fila de los mejores picadores; su escuela era fina y de más verdad que apariencia y el brazo derecho, que era muy bueno, llevaba poca ventaja al izquierdo». Murió en Sevilla en 1888.

Matías *Uceta*, *Colita*. Picador madrileño que actuó con el gran Salvador Sánchez, *Frascuelo*, y con Cara-Ancha. Fue uno de los piqueros más queridos del público madrileño. Hombre mesurado y prudente, mejor jinete que piquero, cumplía con gran voluntad.

Pedro *Yuste*, *Puyana el Mayor*. Este picador de toros nacido en Arcos de la Frontera (Cádiz) en 1776, entra en la historia por sus hechos, más legendarios que probados. Perteneció a una ilustre familia de notoria nobleza, fortuna e influencia social.

Pedro Yuste, consumado galán, era diestro en toda suerte de ejercicios caballerescos, incluido el toreo a pie como capeador, y a caballo como varilarguero. Llegó a batirse en duelo con el hermano de la doncella a quien pretendía. Yuste raptó a la muchacha, pero, arrepentido, depositó a la dama en casa de unos parientes.

Fue condenado a servir cuatro años en el regimiento de Ceuta, pero desertó y se puso a las órdenes del sultán Mulcy Soleiman ben Mohammed, hacia el año 1805. En 1814, vuelto a España, reaparece su nombre en los carteles. En 1817, en Ronda, habían de lidiarse seis toros negros, picándose precisamente con caballos blancos. Lo hizo Puyana, montado en una jaca blanca predilecta del hijo del empresario, y salió ilesa la cabalgadura. Su fama fue tal en Andalucía que se hizo célebre la frase: «¡Ah Puyana en el mundo!». En 1824 muere en Granada, un día del Corpus, desnucado al caer del caballo.

José María de Cossío acaba con estas palabras su referencia a Puyana: «Queda en la penumbra su verdadero mérito. Lo que parece patente es el interés novelesco de su vida, que será superior a la fama que pudo alcanzar en su oficio».

Con esta hermosa historia quiero acabar la relación de grandes picadores, que continuará más adelante, y comenzar con la de grandes banderilleros de esta época gloriosa del toreo.

SEMBLANZA DE LOS GRANDES BANDERILLEROS

Manuel *Aguilar, Rerre*. Nació en Carmona (Sevilla) en 1894. El magnífico historiador y crítico taurino Ventura Bagües, *Don Ventura*, hace este juicio: «Manuel Aguilar, *Rerre*, es buen banderillero por el lado izquierdo y un notable, excepcional, peón de brega».

Carlos *Albarrán, El Buñolero*. Banderillero madrileño nacido en 1819 y fallecido el 27 de febrero de 1910, a los noventa años. Fue una figura muy popular en Madrid. Destacó, sobre todo, por su gran humanidad. Desempeñó el puesto de chulo de toriles desde 1844 a 1903. Luis Carmena y Millán le dedica estos versos: «El abrir los portones del chiquero y dar salida al toro, nadie lo hizo, ni hará, con más salero que Carlos Albarrán, el Buñolero».

Enrique *Belenguer, Blanquet*. Este gran torero valenciano, nacido en 1881, está, con toda razón, valorado como uno de los más grandes de todos los tiempos. Comenzó desde muy joven en las cuadrillas de toreros modestos como El Valenciano, Minuto y Regaterín. En 1908, en la plaza de Madrid, y a las órdenes de Regaterín, obtiene un éxito tal al lidiar un toro de Miura y otro de Palha, que el público le obligó a dar dos vueltas al ruedo. En 1909 actuó con Machaquito. En 1912 actúa con Rafael, *El Gallo*. En 1914 pasa a la cuadrilla del gran Joselito, *El Gallo*. Es la época de mayor gloria torera de Blanquet: es el brazo derecho, el peón de confianza, el colaborador insustituible de Joselito.

Después de la muerte de Joselito en Talavera, Blanquet actúa con Ignacio Sánchez Mejías, y en 1922 con Manuel Granero, que muere el 7 de mayo en la plaza de Madrid. La tragedia de su paisano Granero le afectó hondamente y decide retirarse de los ruedos. Falleció el 14 de agosto de 1926, cuando Sánchez Mejías le había convencido para que volviera a los toros.

Manuel *Blanco, Blanquito*. Nacido en 1860. Actuó con los mejores espadas de su época: Frascuelo, Lagartijo, Espartero, Guerrita, Fuentes, Reverte y, finalmente, con Rafael, *El Gallo*, del que era cuñado. Falleció en Sevilla en 1920. Fue un banderillero extraordinario:

poderoso, valiente. Tenía inteligencia, alegría y arte. Uno de los banderilleros que más se ha aproximado a un ideal de perfección.

Alfredo *David*. Banderillero excelente. Extraordinario como peón de brega, uno de los mejores de cualquier época y de todas las épocas. Nació en Valencia el 12 de agosto de 1891. En 1915 figura en la cuadrilla del matador de toros Pacomio Peribáñez. Tras permanecer unas temporadas con Varelito pasa en 1920 a la cuadrilla de Manuel Granero. En 1922 lo hace con Fortuna. De 1924 a 1927 torea con Marcial Lalanda. De 1928 a 1935 torea con su paisano Vicente Barrera. Hasta 1940 actuó a las órdenes de Domingo Ortega. En 1941 ingresa en la cuadrilla de Manuel Rodríguez, *Manolete*. Luego toreó con Luis Miguel Domínguín, de 1948 a 1951. Siguió en activo hasta 1965. Falleció en Madrid el 13 de febrero de 1978.

Antonio *Duarte*. Nació en Algeciras en 1900. Actuó en las cuadrillas de figuras de la categoría de Niño de la Palma, Valencia II, Nicanor Villalta, Fernando Domínguez, Victoriano de la Serna y Manolo Bienvenida. Un valiente peón de brega y banderillero muy bueno, por el lado izquierdo extraordinario.

Juan *Espinosa*, *Armillita*. Nació en Saltillo (México) en 1905, hermano del extraordinario torero Fermín Espinosa, *Armillita*. Juan tomó la alternativa el 16 de mayo de 1925 en Talavera de la Reina de manos de Marcial Lalanda. En 1933 renunció a su categoría y entró de banderillero en la cuadrilla de su hermano Fermín. José María de Cossío hace este elogio de Juan: «Entre los recuerdos salientes que mi memoria guarda están muchos pares vistos clavar a Juan Armillita. Por su finura, por su elegancia, por su arte, por su ejecución perfectísima, puede parangonarse con los mejores banderilleros que en el mundo han sido».

Saturnino *Frutos*, *Ojitos*. Nacido en Fuente el Saz (Madrid) en 1855. Fue banderillero de Mazzantini. En 1899 marchó a México y puso una escuela taurina de donde salió Rodolfo Gaona, uno de los más grandes toreros mexicanos de todos los tiempos. Murió en 1913 en México. Fue un peón activo, laborioso, mejor con las banderillas que con el capote. Hombre inteligente, debe su fama sobre todo por ser descubridor y maestro del genial Gaona.

Antonio *García*, *Bombita IV*. Nació en Tomares (Sevilla) en 1891. Figuró en las cuadrillas de Sánchez Mejías, Maera, el rejoneador Antonio Cañero, Rafael, *El Gallo*; Niño de la Palma y Manuel Bienvenida. Fue un peón notable y eficaz. Un gran banderillero, que encuentra fácil la suerte en todos los terrenos.

Fernando *Gómez Ortega*, *Gallito*. Hermano de

Rafael, *El Gallo*, y del genial Joselito, figuró indistintamente en la cuadrilla de ambos. Murió en Sevilla en 1921. Toreaba a una mano con el capote de manera genial; pero, hombre enfermo, tímido y abúlico, no pudo destacar en una profesión tan extremadamente dura.

José *Gómez*. Hermano mayor de Fernando, *El Gallo*. José es el primero que usa taurinamente el glorioso apodo de «Gallo». Actuó en la cuadrilla del gran Lagartijo. Fue un torero hábil y eficaz y un buen banderillero, según escribe Sánchez de Neira.

Gabriel *Hernández, Posadero*. Aunque nacido en Riopar (Albacete), es considerado madrileño. Tuvo una vida torera muy intensa. Figuró en las cuadrillas de todas las grandes figuras de su época. Entre la lista de toreros a cuyas órdenes actuó citaremos los más destacados: Rodolfo Gaona, Antonio Márquez, Marcial Lalanda, Félix Rodríguez, El Estudiante y Manolo Bienvenida. Pocos o quizá ninguno de sus compañeros le igualen en el número de corridas toreadas. Fue un buen banderillero por el lado derecho y un peón formidable. Eficaz, valiente, siempre bien colocado y exacto en la lidia.

Pablo *Herráiz*. Banderillero madrileño nacido en 1830. Un drama amoroso le hizo abandonar su casa. Por culpa de aquella crisis sentimental conservó siempre un prurito susceptible, un carácter pundonoroso y rebelde, irascible y atractivo. Actuó a las órdenes de su paisano Cayetano Sanz. Más tarde con Curro Cúchares, y a continuación con Salvador Sánchez, *Frascuelo*. Murió en 1885. Es destacado por todos los grandes cronistas de la época: González de Ribera, Carmona Jiménez, Peña y Goñi, Guillén Sotelo. Lo que, unido a los grandes maestros a los que sirvió, nos da la idea de que Pablo Herráiz fue una figura de primer orden.

Antonio *Iglesias, Antoñete*. Nació en Madrid en 1912. Como banderillero actuó en las cuadrillas de Antonio Bienvenida, Morenito de Talavera y Julio Aparicio. Se retiró en 1964 a las órdenes de El Cordobés. Eficaz con las banderillas, sobresaliente peón de brega, gozó siempre de la mayor consideración.

Antonio *Labrador, Pinturas*. Nació en Zaragoza en 1909. Alcanzó la categoría de matador de toros el 11 de junio de 1933 en Zaragoza, de manos de Luis Fuentes Bejarano. En 1936 se hizo banderillero. Actuó en las cuadrillas de Juan Belmonte Campoy, *Juanito Belmonte*; Manuel Rodríguez, *Manolete*; Raúl Ochoa, *Rovira*; Julio Aparicio y, finalmente, Santiago Martín, *El Viti*. Se retiró del toreo en 1969 y falleció en Madrid el 26 de junio de 1975. El crítico taurino Tomás Orts Ramos, *Uno al sesgo*, lo califica como uno de los más destacados subalternos de su tiempo.

José Antonio *Learte Calderón, Capita*. Nació en Carmona (Sevilla) en 1798, de familia de holgada posición económica. Toreó a las órdenes del gran Paquiro y de El Chiclanero. Capita es, sin duda, uno de los mejores banderilleros de todos los tiempos y, a juzgar por los efectos de sus enseñanzas, el de resultados más halagüeños de todos los rehileteros habidos, a pesar de ser tuerto. Fue maestro de Cayetano Sanz, el primer torero madrileño de la historia. Murió en Madrid, donde gozó de grandes afectos, el 21 de febrero de 1868.

Joaquín *Manzanares, Mella*. Banderillero nacido en San Vicente del Raspeig (Alicante) en 1899. Destacadísimo torero, actuó con figuras de la talla de Nicanor Villalta, Sánchez Mejías, Juan Luis de la Rosa, Antonio Márquez, Niño de la Palma, Vicente Barrera, Cagancho y Pepe Luis Vázquez. Murió en Madrid en 1971. Fue Mella un gran banderillero, artista y fácil, que ejecutó con los palos toda clase de suertes con extremada perfección.

Tomás *Mazzantini*. Hermano del famosísimo matador Luis Mazzantini. Fue un peón de primer orden: inteligente, incansable, oportuno y valiente. Se retiró del toreo a la vez que su gran hermano en el año 1905. Murió en El Puerto de Santa María en 1919.

Manuel *Mejías Luján, Bienvenida*. Nacido en Bienvenida (Badajoz), fue una gran personalidad dentro de la historia del toreo. Cabeza de un linaje de toreros excepcionales: padre de Manuel Mejías Rapela, *Bienvenida*, el «Papa Negro»; abuelo de Manuel, Pepe, Rafael, Antonio, Ángel Luis y Juan Bienvenida.

Juan *Molina*. Banderillero nacido en Córdoba el 17 de enero de 1851. Era hermano de Rafael Molina, el gran Lagartijo. De 1871 a 1873 forma en la cuadrilla de su primo Bocanegra. A partir de 1873 en la de su hermano Rafael, la mayor figura de su tiempo. González de Ribera lo describe así: «De esbelta figura, estatura corpulenta, sumamente proporcionado y con fuerza física excepcional». Como banderillero era pronto y seguro, pero sin estilo ni arte. En cambio con el capote de brega fue excepcional. Retirado su hermano, actuó en las cuadrillas de Mazzantini, Guerrita y, por último, Conejito. Se retiró en el año 1900, tras treinta y dos años en activo.

Luis *Morales*. Nació en Casas Ibáñez (Albacete). Llegó a tomar la alternativa el 25 de junio de 1933, en Madrid, de manos del gran Manuel Jiménez, *Chicuelo*. Renunció a la categoría para hacerse un gran banderillero. Según aparece en el VI tomo del Cossío: «Su nombre debe figurar entre los banderilleros más importantes de cualquier tiempo». Se retiró en 1970.

Bernardo *Muñoz, Carnicerito*. Nació en Málaga

en 1895, tomó la alternativa en la misma ciudad el 1 de agosto de 1920 con Rafael, *El Gallo*, de padrino y Paco Madrid de testigo. En 1936 renunció a la categoría. Bernardo Muñoz se convierte en un gran peón con todas las condiciones para figurar a la altura de los mejores. Un excepcional conocimiento de las cualidades de los toros, un gran valor, y además buen banderillero.

Francisco *Ortega, Cuco*. Es el más importante de una grandísima dinastía de banderilleros y toreros a la que pertenecen, ni más ni menos, que los famosísimos «Gallo». Francisco Ortega actuó con El Chiclanero, El Lavi, El Salamanquino y principalmente con El Tato. Fue un torero inteligentísimo en la brega y un excelente banderillero. Otros Ortega destacados fueron Enrique Ortega, *Lillo*; Gabriel Ortega, *Barramhin*; Enrique Ortega, *Almendro*, y Enrique Ortega, *Cuco*.

Bonifacio *Perea, Boni*. Nació en Madrid en el año 1896. Es la gran figura de una dinastía de grandes toreros. Estuvo en la cuadrilla del bravo torero aragonés Braulio Lausín, *Gitanillo de Ricla*. Valencia II, Antonio Márquez, Manolo Bienvenida y Marcial Lalanda gozaron de su arte.

Cossío escribe: «Bonifacio Perea fue uno de los grandes peones de su tiempo. Inteligente, eficacísimo y quizá el número uno toreando a una mano».

Antonio *Pérez, El Os-* *tión*. Banderillero nacido en Laguardia (Álava) en 1847. Figuró en las cuadrillas de Felipe García, Salvador Frascuelo y Lagartijo. Murió en 1894. Fue un torero valiente, hábil y útil. Su figura va unida a la de dos colosos del arte de torear.

Victoriano *Recatero, Regaterín*. Banderillero nacido en Madrid en 1851. Figuró en las cuadrillas de Chicorro, José Machío, Gordito y finalmente en la de Salvador Sánchez, *Frascuelo*. Fue un banderillero finísimo y elegante.

Rafael *Rodríguez, El Mojino*. Nacido en Córdoba el 25 de febrero de 1859. Hijo de Francisco Rodríguez, *Caniqui*, célebre banderillero. Su primera cuadrilla fija fue la de Bocanegra; más tarde actuó con Hermosilla, Cara-Ancha, Lagartijo y Guerrita. Falleció en 1897, víctima de la tuberculosis. González de Ribera escribe de él: «Mojino es el clásico del sesgo. Ha pasado a la historia del toreo como uno de los más elegantes y brillantes rehileteros».

José *Roger, Valencia*. Banderillero nacido en Valencia en 1867. Es el primero de una gran dinastía de toreros y banderilleros. Todos con el apodo «Valencia». Sus hijos José y Victoriano Roger, *Valencia II*, fueron importantes matadores de toros.

Rafael *Saco, Cantimplas*. Banderillero cordobés, hijo de Manuel Saco, *Cantimplas*, que fue destacado banderillero de Machaquito y Joselito, *El Gallo*. Rafael comenzó a actuar de banderillero en 1933. Tras la guerra civil entró en la cuadrilla de su primo Manuel Rodríguez, *Manolete*, con el que permanece hasta la tragedia de Linares. Después figuró en las cuadrillas de Calerito, Julio Aparicio, Rafael Ortega, Antonio Ordóñez, Manuel Chacarte, Pedrés y Chamaco. Fue un subalterno sumamente apreciado.

Enrique *Salinero*, *Alpargaterito*. Nació en Valencia en 1897. Toreó a las órdenes de Francisco Martín Vázquez, Luis Freg, Manuel Granero, Gitanillo de Ricla, Niño de la Palma, Martín Agüero, Victoriano de la Serna, Domingo Ortega, Jaime Pericás, Morenito de Talavera, El Andaluz y José María Martorell. Se retiró en 1957. Fue uno de los mejores banderilleros de su época.

Antonio *Suárez*, *El Peregrino*. Banderillero de Arcos de la Frontera (Cádiz), donde nació en 1840. Por no querer supeditarse a la disciplina de las cuadrillas de toreros llevó una vida de aventuras y mendicidad. Sin embargo, fue un buen torero que alcanzó notorios éxitos en Sevilla, Ronda, Granada y Madrid. Supo vivir su vida.

Luis *Suárez*, *Magritas*. Banderillero nacido en Madrid en 1889. Comenzó como monosabio en la plaza de Madrid. En 1912 actúa con Joselito, *El Gallo*; en 1913 se coloca con Vicente Pastor; en 1915 con Rafael, *El Gallo*; en 1916 de nuevo con el gran Joselito, y en 1917 nada menos que con Juan Belmonte. En 1920 torea con Chicuelo. A continuación torea con José García Carranza, *Algabeño*; Diego Mazquiarán, *Fortuna*; Martín Agüero, Antonio Márquez, Joaquín Rodríguez, *Cagancho*; Alfredo Corrochano, Domingo Ortega, Curro Caro y Pepe Luis Vázquez.

Magritas es una figura destacadísima entre los subalternos de su época. Manuel Serrano, *Dulzuras*, dice de él: «Magritas es el peón fino y eficaz, que casi no da un solo capotazo a dos manos y que ha sido reconocido como de los mejores por todos los aficionados, por ser además un banderillero inconmensurable». Don Ventura escribe: «Banderillero del lado izquierdo, la finura, la perfección y el realce que da a la ejecución de la suerte cautivan siempre».

Rafael *Valera*, *Rafaelillo*. Banderillero nacido en Sevilla en 1890. En 1919 torea en la cuadrilla de Francisco Martín Vázquez, y las temporadas siguientes con Pepe Belmonte. En el invierno de 1924 acompaña a Juan Belmonte en su excursión a Lima. Al año siguiente torea con el Niño de la Palma y más tarde con Chicuelo, Cagancho, Marcial Lalanda, Domingo Ortega y Rafael Ponce, *Rafaelillo*.

Señala Cossío: «Se puede

decir que ha toreado cuanto ha querido y con quien ha querido. Estar en la vanguardia de la primera categoría le dio esas facilidades. Notabilísimo peón de lidia; torero de valor y personalidad. Con las banderillas por el lado derecho no le ha superado ninguno en todos los tiempos. Gracia, depuración de estilo, finura, elegancia, arte, en fin».

Faustino *Vigiola,* Torquito II. Nació en Bilbao en 1896. Hermano del buen torero Serafín Vigiola, *Torquito*. Faustino llegó a tomar la alternativa en 1925, el día 15 de agosto, en Salamanca. Matías Lara, *Larita*, le invistió doctor en tauromaquia con Juan Silveti de testigo. En 1927 renunció a la categoría y entró como banderillero a las órdenes de Luis Fuentes Bejarano.

Torquito fue un buen peón con un estimable conocimiento de la lidia y banderillero fácil por ambos lados. Actuó en las cuadrillas de Nicanor Villalta, Pepe Bienvenida, Félix Colomo, Manuel Álvarez, *Andaluz,* y Mario Carrión, con el que estuvo prácticamente durante toda la carrera de este buen torero sevillano. Falleció Torquito en 1969.

EL TOREO DE CAPA

El toro ha sido corrido de salida, fijado, bien por los banderilleros, bien por el propio matador. Si el matador lleva el peso de la brega desde el principio, sin dejar intervenir a sus banderilleros, lo normal y lógico es que lo haga lucidamente. Estos lances de capa se llaman de recibo.

Estos lances de recibo son el primer encuentro entre el torero y el toro; tienen gran emoción artística. El toro embiste en pleno apogeo de su fuerza; aún no ha sido castigado, y el torero, firmes los pies, con derechura y temple, atempera su fiereza. La suerte fundamental del toreo de capa es la verónica.

La verónica es el lance más antiguo del toreo. Se llama así porque el modo como el torero presenta el capote evoca a la Verónica, que limpió con un paño el rostro de Jesucristo en el camino del Calvario.

En las tauromaquias de Pepe-Hillo y Paquiro se describe la verónica como suerte de frente o regular. Más o menos así:

«La verónica es aquella suerte que se ejecuta con la capa enfrente del toro, de tal modo que sus pies miren hacia los pies de éste».

Con el tiempo, como todo en tauromaquia, el lance evoluciona. Así, Rafael Guerra, *Guerrita*, señala que «el torero debe colocarse en rectitud con el toro, aunque de costado».

Lo normal hoy es citar semi de frente, dando al toro medio pecho, con los pies separados o juntos. Con los pies separados, abierto el compás, el lance resulta más largo, más redondo, más completo. A pies juntos tiene especial gracia, belleza y plástica.

Desde que se inicia el lance hasta que se remata, el cuerpo del torero gira levemente, conservando la situación de los pies en el cite hasta el final. La pierna por donde se torea se adelanta hacia el toro. Si el lance es por el derecho, cuando el toro mete la cara en el capote, la mano izquierda baja hacia la cadera, mientras la mano derecha lleva el capote al compás de la velocidad del toro para templar y alargar la suerte hasta su final, momento en el que se adelanta la pierna izquierda para ligar otro lance por el lado contrario.

La verónica, suerte fundamental del toreo de capa, es la más difícil de ejecutar pues torean los dos brazos y hay que conjugar ambos con distintas velocidades. Una vez picado el toro, el quite por verónicas suele ser más lento, más armonioso y estético si cabe, y también, necesariamente, más corto.

La media verónica es el remate lógico de una serie de verónicas. Se inicia exactamente igual que la verónica pero termina a la mitad de ésta, para lo cual el torero pliega el capote sobre su costado y a la cadera para dejarlo parado, como clavado en la arena. En la media verónica se somete al toro al obligarlo a seguir un engaño disminuido en un espacio corto y en círculo.

La verónica con una rodilla en tierra es una variedad del lance que sirve para recoger a los toros cuando huyen de salida. Es un lance efectivo y de gran lucimiento. La media verónica, a veces, se ejecuta con las dos rodillas en tierra. Es más un adorno, un alarde, que un lance efectivo o de sometimiento.

A lo largo de la historia existieron grandes intérpretes del toreo a la verónica y de la media verónica, incluso ha habido diestros especialistas en tal lance que luego apenas han destacado en otras suertes. Indudablemente los grandes toreros son los que más suertes han llegado a dominar. Pero, aunque sea someramente, hay que mencionar a los más grandes artistas del toreo a la verónica.

Joaquín Rodríguez, *Cagancho*; Francisco Vega de los Reyes, *Gitanillo de Tria-*

na, conocido por Curro Puya, y su hermano Rafael Vega de los Reyes, también apodado *Gitanillo de Triana*, los tres gitanos, nacidos en Sevilla, en el barrio de Triana, de familias relacionadas con el cante y baile flamenco, forman una terna de maravillosos intérpretes del toreo a la verónica. Cossío describe así la de Curro Puya: «Su verónica era suave y templadísima, ejecutada con el cuerpo erguido, con la mayor naturalidad, ni muy espatarrado ni con los pies juntos, sino ligeramente abierto al compás, con las manos muy bajas».

El vallisoletano Fernando Domínguez y Victoriano de la Serna, el genial torero de Sepúlveda, fueron grandes artífices de la verónica. En los años cuarenta destaca la gracia unida a la hondura de Pepe Luis Vázquez y la clásica sobriedad de Manolete. El toreo a la verónica de Manuel Álvarez, *Andaluz*; del madrileño Manuel Escudero y de los peculiarísimos artistas gitanos Rafael Ortega, *Gallito*, y Rafael Albaicín, configuran una hermosa baraja.

Sobrio, clásico y purísimo es el toreo a la verónica del gran torero de San Fernando (Cádiz) Rafael Ortega. Antonio Ordóñez, el colosal torero de Ronda, eleva el toreo a la verónica a una de sus más altas cumbres.

En su *Historia del toreo*, Néstor Luján escribe: «Con la capa, toreando a la verónica, Antonio Ordóñez anula a los mejores. Verónicas con gran juego de brazos, suaves, lentas; magníficas verónicas; densas, dramáticas y profundas. Verónicas alegres, aladas, palpitantes».

Sólo resta añadir que torear como lo ha hecho Antonio Ordóñez sólo es posible si se posee una grandísima técnica.

El madrileño Antonio Chenel, *Antoñete*, con técnica y figura muy similar a la de Ordóñez, ha toreado de forma grandiosa a la verónica.

Juan Posada y los madrileños Dámaso Gómez y Alfonso Merino deben figurar en esta relación. Curro Romero y Rafael de Paula, cada uno en su estilo, han toreado con rara perfección a la verónica. Paco Camino, intérprete como pocos de la verónica clásica, que ejecutaba con los brazos muy sueltos. Santiago Martín, *El Viti*, dentro de su estilo sobrio, ha toreado a la verónica con empaque y temple. Su paisano Julio Robles figura entre los grandes artistas del toreo a la verónica. De las últimas generaciones toreras son muy notables: José Miguel Arroyo, *Joselito*; Francisco Rivera Ordóñez, Víctor Puerto y Juan Mora, cuando se inspira.

Otros toreros que han hecho el toreo a la verónica con enorme calidad y personalidad son el sevillano Manolo Cortés y Curro Vázquez, un torero de enorme calidad y un maestro, pero más torero de culto que de grandes públicos. Gregorio Tébar, *El Inclusero*, está entre los mejores artífices de la verónica, y Sebastián Cortés, un gitano de Albacete, de especialísima hondura y misteriosa belleza. Mario Cabré, el polifacético artista catalán, toreaba a la verónica a pies juntos y con las manos muy bajas, lo que producía un singular efecto estético.

La media verónica. Dentro de la lógica, todos los grandes intérpretes del toreo a la verónica han sido distinguidos artífices de la media verónica. Sin embargo, dos toreros le dieron un sello propio: Juan Belmonte y Antonio Márquez. La media verónica de Juan Belmonte, desgarrada y patética, con el toro enroscado a la cintura, ha pasado a la historia como «media belmontina». La de Antonio Márquez, tan personalísima, no ha tenido imitadores.

Escribe Néstor Luján sobre el gran torero madrileño: «Su media verónica era impresionante. Erguido y gallardo, llevaba al toro prendido en los vuelos de su capote y lo enfajaba lenta y soberanamente a su cintura».

La verónica con una rodilla en tierra ha sido una interpretación casi exclusiva de Antonio Ordóñez. El remate de la media verónica con las dos rodillas en tierra, más un alarde de temeridad o de poder que un lance de dominio, no puede tener, por tanto, un artífice. Sí han rematado de esta guisa toreros como el abulense-salmantino Julio Robles, y en estos tiempos el valenciano Enrique Ponce.

En la verónica ejecutada a pies juntos, Pepe Luis Vázquez ha sido insuperable. Su hijo —la eterna esperanza— Pepe Luis Vázquez Silva torea con gracia sublime a pies juntos. Los grandes toreros sevillanos Pepín Martín Vázquez, Manolo González y Paco Camino destacaron mucho en esta suerte. Ahora, Curro Vázquez y Joselito.

La larga cambiada. Es un lance de capa que se realiza con una sola mano. Se cita al toro de frente, con el capote cogido por uno de sus extremos y adelantado, para llevarlo hasta darle salida por el lado contrario al que se le cita.

Es un lance vistosísimo, que suele darse de rodillas, a la salida del toro. Cuando se hace frente a toriles se llama larga a porta gayola. Cuando se pasa el capote sobre la cabeza se llama larga afarolada. Cuando se ejecuta de pie y se lleva el capote al hombro, sin pasarlo por la cabeza, se llama larga cordobesa o también lagartijera.

En definitiva, es una suerte arriesgada y bella, considerada de adorno. Luis Miguel Dominguín, Paquirri y Espartaco han ejecutado la larga cambiada de rodillas y afarolada con verdadera maestría. La larga de pie y la cordobesa han dado, en los últimos tiempos, un toque de distinción a diestros como Paco Ojeda, Pepe Luis Vázquez hijo y Enrique Ponce.

El farol. Es un bello lance de adorno que se ejecuta de pie y de rodillas, unas veces frente a chiqueros, es decir, a porta gayola, otras en el tercio. Se cita como si se fuera a dar una verónica, y en el momento de retirar el capote de la cara del toro el diestro gira los brazos para echarse la capa sobre los hombros, haciéndola pasar sobre su cabeza.

El diestro sevillano Manuel Domínguez, *Desperdicios*, pasa por ser el inventor de este lance en 1855. Juan Belmonte y su hijo Juan Belmonte Campoy también ejecutaron este lance con peculiar lucimiento. Su variante de pie tiene especial luz.

La navarra. Es una variante de la verónica. El torero se coloca frente al toro en el cite y cuando la res mete la cabeza en el capote, el diestro gira en sentido contrario a la dirección del toro, para quedar de nuevo de frente en el remate y ligar el siguiente lance.

La navarra es una de las suertes más antiguas, practicada por los clásicos como Pepe-Hillo y Paquiro. En épocas más recientes, el maestro Antonio Bienvenida ha toreado por navarras con gran elegancia y distinción. Andrés Vázquez, el torero de Villalpando, admirador y discípulo de Antonio Bienvenida, ha practicado con donaire el quite por navarras. De los actuales, el enciclopédico torero alicantino Luis Francisco Esplá.

De frente por detrás. Es

una variante de la verónica en la que el torero lleva el capote a la espalda. Es una suerte de gran emoción y belleza estética, al poner el torero su cuerpo por delante del capote.

La invención del lance de frente por detrás se atribuye a José Delgado, el mítico Pepe-Hillo. Muchos toreros han practicado este lance con personalidad y prestancia. El mexicano Rodolfo Gaona lo interpretaba con belleza tal que se le llamó «gaonera». El maestro madrileño Victoriano Valencia le imprimió tal hondura y peculiar sello que se llamó «rogerina». De los toreros hoy en activo, es especialmente sentido el lance que interpreta José Miguel Arroyo, *Joselito*.

La chicuelina es una variedad de la navarra que, gracias al genio creador de su inventor, Manuel Jiménez, *Chicuelo*, ha pasado a la historia con ese nombre. Se cita con la capa, frontal al toro, sostenido el capote por ambas manos a media altura, delante del pecho. Al meter el toro la cara se le marca la salida por uno de los dos lados imprimiendo al engaño una leve sacudida hacia abajo, mientras la otra mano permanece a la misma altura. Una vez que pasa el toro, el torero gira en sentido contrario, como en la navarra, para quedar colocado de nuevo y ligar el lance por el otro lado.

La chicuelina es un lance bellísimo, que admite una gran variedad de interpretaciones. A pies juntos; con el compás ligeramente abierto y con las manos altas, bajas o muy bajas; ligadas sin mover los pies; encadenadas al paso, llamadas chicuelinas andadas o galleo por chicuelinas.

Tras el genio creador de Manuel Jiménez, *Chicuelo*, este lance ha tenido una gran multitud de intérpretes, y cada uno lo ha hecho con su proverbial personalidad. Tres toreros sevillanos han dado a la chicuelina profundidad y hondura: Manolo González, Diego Puerta y Paco Camino. Con las manos muy bajas como Antonio Bienvenida y, en nuestros días, José María Manzanares; con la mano alta y una gracia especial, Manolo Vázquez. Entre los mejores intérpretes de este lance puede figurar Gregorio Tébar, *El Inclusero*; muy ceñidas y emocionantes son las de Pedro Moya, *Niño de la Capea*; especial gracia tienen los galleos por chicuelinas del gitano Rafael de Paula.

Galleos. Son las suertes de capa que se realizan andando. En los galleos es el torero el que pasa, no el toro. Son suertes muy adornadas, vistosas, efectivas y de recurso. Sirven tanto para llevar al toro al caballo como para quitarlo.

Recortes y remates. Son lances defensivos. Suertes muy estéticas que ponen fin a una serie de lances. Unas veces el torero se queda quieto, desplantado ante el toro. Otras sale andando con donaire.

El recorte capote al brazo de Antonio Reverte hizo célebre a este popular lidiador sevillano. Los desplantes de Curro Romero con el capote tienen un componente estético que han hecho inconfundible al genial camero.

La revolera. Es uno de los remates más vistosos y frecuentes. Es una larga natural y por bajo con el capote completamente desplegado, que pasa de una a otra mano haciéndole dar una vuelta completa alrededor del diestro, que también gira y queda como el eje de la suerte.

La serpentina. Hace girar el capote como un serpentín alrededor del cuerpo del torero. La revolera, la serpentina, la navarra, la chicuelina pueden ejecutarse combinadas, según la inspiración del torero, dando así origen a nuevas y bellas suertes. Antonio Bienvenida, Luis Francisco Esplá, Paco Ojeda y Joselito, sin olvidar al buen torero de El Puerto de Santa María José Luis Galloso, han prodigado el toreo combinado con el capote. Los toreros americanos han sido siempre grandes dominadores del adorno con el capote. A partir del gran Rodolfo Gaona, están en la memoria Carlos Arruza, César Girón, José Ortiz, Pepe Cáceres, César Rincón y Alejandro Silveti.

El quite de la mariposa. Fue una invención de Marcial Lalanda, una variante del toreo de frente por detrás y de la gaonera. Hasta hoy sólo el matador de toros alicantino Luis Francisco Esplá ha intentado poner en práctica la mariposa.

Néstor Luján critica con acidez a Marcial: «El quite de la mariposa es lo único refinado de su repertorio; cara al toro, con el capote a la espalda, se va flameando alternativamente a cada costado, al tiempo que corre hacia atrás».

EL TOREO DE MULETA

El toreo de muleta, o último tercio, no era más que el paso previo para la estocada, para la suerte suprema. Con el paso de los tiempos el toreo de muleta, la faena, ha ido evolucionando hasta convertirse en fundamental. La muleta es el instrumento efectivo y artístico que forma la parte más importante de la lidia.

Antiguamente la muleta «muletilla» era un lienzo blanco que prendía de un palillo y servía como ayuda para estoquear a los toros. Según los toreros fueron perfeccionando la suerte de matar, la muleta evolucionó. De simple instrumento defensivo pasó a ser fundamental para eliminar los resabios del toro, y luego imprescindible para realizar la «faena de muleta», conjunto de suertes que configuran la lidia tal y como la conocemos.

Es cierto que la estocada es la suerte suprema, que así se considera y así deberá seguir, si no queremos desvirtuar la lidia o reducirla o mutilarla. Sin embargo, la faena de muleta ha llegado a tal grado de perfección, técnica y estética, que el público se ha decantado en favor de la faena sobre los otros tercios de la lidia.

Hoy, y se comprende —y comprendemos a los que piden una lidia en plenitud, basada en los tres tercios—, la lidia gira alrededor de la faena de muleta. Y es más: todo cuanto se hace al toro en los tercios anteriores, varas y banderillas, viene a redundar en beneficio de la faena de muleta. Por ello —y no acabo de estar del todo de acuerdo— al torero actual se le considera más capaz cuanto más virtuoso es en el manejo de la muleta.

Así, y por desgracia, en cuanto puede suponer de escamoteo de otros tercios de la lidia, aunque para triunfar sea rotundamente necesario que la faena termine con una buena estocada, muchas faenas, demasiadas, son premiadas con estocadas defectuosas. Cada vez es más corriente que un torero que no logre lucirse en los primeros tercios sea premiado por el público merced a una buena faena de muleta.

Indudablemente, los buenos aficionados no están conformes con este estado de cosas. Para los buenos aficionados una gran faena de muleta debe ir precedida de una buena lidia en todos los tercios: varas, banderillas y, por descontado, la estocada.

Han sonado de nuevo clarines y timbales. El matador que ha permanecido atento a las evoluciones del toro, a las de sus peones y compañeros durante el tercio de banderillas, toma la espada y la muleta, con la montera en la mano diestra, y se sitúa bajo el palco de la presidencia para brindar la muerte del toro.

El brindis. Los espadas tienen la obligación de brindar su primer toro a la presidencia. Los términos del brindis suelen ser rituales. A continuación el diestro arrojará la montera al aire o se la entregará al mozo de espadas. Antiguamente los brindis eran un prodigio de gracia y pintoresco casticismo. Valga este ejemplo de un brindis de Parrao:

«Yo he estado en Nueva York y es un portento, pero soy español y estoy contento».

Acto seguido comenzará la faena de muleta con el toro colocado por los peones en el terreno que previamente el matador ha ordenado. Si por desgracia sopla el viento se hará al abrigo de éste. Si no hay viento y el toro es franco y noble, la faena se comienza cerca de las rayas de picadores, para salir, siempre que sea posible, a los medios, al centro del ruedo, el llamado platillo.

José Antonio del Moral, en su fundamental obra *Cómo ver una corrida de toros*, analiza la faena de muleta: «La despaciosidad, la quietud de pies, la precisión que necesita un torero para muletear como ahora se exige, se logra mediante una serie de movimientos de la mano, de la muñeca, de los dedos que sostienen el engaño».

Una faena de muleta es una solución continuada de pases, que es como vulgarmente se conocen las suertes ejecutadas con la muleta, también llamada franela, y pañosa e incluso «flámula» por los cursis. El torero, mientras pasa de muleta, permanece quieto, y debe relacionar unos pases con otros, lo que se llama ligar. El diestro, el torero, debe estar colocado en el sitio más comprometido, es decir, «dentro del cacho», medio de frente, ni de perfil, ni al hilo del pitón. La distancia desde donde se hace el cite es otro fundamento de una buena lidia.

El toro. Nunca debe olvidarse del toro. El torero jamás; el espectador, nunca. Así el toro debe embestir con fijeza y nobleza, obediente a los «toques», movimientos de llamada con la muleta, que, por cierto, deben ser imperceptibles. El toro se arrancará de pronto, sin irse distraído, sin cabecear ni derrotar. Ha de repetir las embestidas, meter la cara baja, sin cortar el viaje, sin pararse ni frenarse y con el mismo ritmo de acometida.

El torero se colocará en el primer cite cruzado frente al toro, en una distancia media, o según sus preferencias y las cualidades del toro, a una larga distancia, corta o incluso muy corta. El número de muletazos de cada serie o tanda será superior a tres.

La muleta debe ofrecerse plana por delante del cuerpo del torero y su curvo trazado terminará detrás de la cadera. No debe haber enganchones y la muleta debe ir por debajo de la pala de los pitones.

Todo esto es casi un imposible. Del Moral resuelve con su elocuente verbo: «El toreo más puro es aquel en el que el torero permanece quieto de pies, el toro le rodea varias veces, y cuanto más despacio mejor».

Sin embargo lo lógico, lo normal es que los toros no den facilidades para hacer el toreo; por consiguiente, los lidiadores han de acoplarse a las condiciones de cada res.

José Bergamín, gran teórico del toreo, expresa con enorme clarividencia los avatares de la lidia: «Al toro y al público se les puede engañar, pero no mentir».

El toreo se debe hacer con técnica y habilidad, y decir, interpretar, con el sentimiento y la libertad expresiva del que cada artista es capaz. Esta disquisición lleva a que existen grandes toreros, grandes «hacedores», grandes técnicos, pero escasos de sentimientos, de comunicar, de decir el toreo, y por el contrario existen toreros con gran sentimiento estético, que «dicen» muy bien el toreo, pero no lo «hacen» casi nunca.

Valgan para simplificar un par de ejemplos. Luis Miguel Dominguín, un gran maestro, un gran técnico, un gran dominador del toreo, pero escaso de sentimiento, decía poco. Mientras Curro Romero, un torero técnicamente limitado, ha traspasado fronteras inaccesibles con un toreo dicho y sentido, que, muchas veces, ha roto los límites de la racionalidad. Sobre Curro Romero valgan estas palabras del escritor y abogado Juan Antonio Polo en su apéndice a la *Historia del toreo* de Néstor Luján: «En cuanto al personalísimo toreo que practica, clásico y heterodoxo a la vez, en el que con frecuencia cuenta más la inspiración del momento que las reales condiciones del toro, no es fácil de definir, pero está dotado de una plástica, de una estética y de una hondura inconcebibles».

Es importante resaltar que las faenas de muleta son tan varias como toros salen al ruedo y cada torero las plantea según su particular entender. Si bien el capote es muy vistoso y tiene que resolver grandes problemas técnicos, el toreo de muleta es aún más variado desde el punto de vista técnico y también desde el sentimiento artístico de cada torero. Se dice, y no es un tópico, que «el mejor aficionado es al que más toros y más toreros le caben en la cabeza».

El espectador, o mejor dicho, el aficionado debe exigir al torero en función de la clase de toro que tiene enfrente. El torero normalmente hace lo que puede, pero no siempre puede hacer lo que quiere. Ni sale todas las tardes el toro ideal ni tampoco los toreros tienen el mismo humor, o disposición o ánimo.

Lo que el aficionado y el espectador deben exigir a los toreros es la mayor disposición y el sentido de la responsabilidad que corresponde a un profesional. A un buen torero no se le debe permitir que toree con ventaja a un buen toro. Ahora bien, hay que distinguir un buen toro del que no lo es, o del que sólo es bueno aparentemente.

Ventajas. Vamos a enumerar someramente las ventajas que en líneas generales son las más comunes al toreo de muleta. Las dudas, por ejemplo de ese torero que no se decide a coger la muleta con la derecha o con la izquierda y cambia de mano sin motivo. Los pasos en falso, los paseos excesivos, toreros que están más tiempo paseando que dando pases. El continuo cambio de terrenos durante la faena sin que haya motivo —viento o lluvia— para ello. Echarse atrás —el paso atrás— cuando el toro mete la cara. La muleta retrasada en lugar de adelantada; oblicua en lugar de plana. Desplazar el toro hacia afuera y no a la cadera, estar fuera de cacho o al hilo del pitón.

El pase natural. Es el pase fundamental del toreo con la muleta. Pepe-Hillo,

en su *Tauromaquia*, describe como fundamental del toreo de muleta los pases naturales: «La muleta debe tomarla el diestro con la mano izquierda, para la suerte la pone al lado del cuerpo y siempre cuadrada; y situado en el terreno del toro, lo insta a partir, y lo recibe en dicha muleta al modo de la suerte de capa al pase regular».

Francisco Montes, *Paquiro*, en su *Tauromaquia* se muestra más retórico: «Para pasar al toro con la muleta, se situará el diestro como en la suerte de capa, esto es, en la rectitud de él, y teniendo aquélla en la mano izquierda y hacia el terreno de fuera; en esta situación lo citará, guardando la proporción de las distancias, con arreglo a las piernas que lo advierta; lo dejará que llegue a jurisdicción y que tome el engaño, en cuyo momento le cargará la suerte y le dará el remate por alto o por bajo, del mismo modo que con la capa».

El propio Montes deja claro que el pase natural con la derecha, «aun cuando no es mal visto, no es tan airoso». Sánchez de Neira, el tratadista que mejor ha interpretado a Montes, dice terminantemente: «Pueden ser también regulares o naturales los pases que se dan con la mano derecha, en la misma forma que los antedichos... es decir, que los naturales con la izquierda».

Cossío interviene en la polémica con su proverbial ecuanimidad: «Lo que parece cierto es que antes los pases con la derecha eran meros pases de recurso, en tanto que en el toreo moderno son normales y, en la mayor parte de los diestros, básicos». Y acaba don José María: «Es de lamentar esta evolución; pero no llego en mi sentimiento hasta donde viejos aficionados, que añoran un toreo integral con la izquierda, que es dudoso hayan visto practicar nunca con rigor».

En el pase natural, por decirlo de forma más moderna y comprensible, el matador debe citar al toro de frente, con la muleta en la mano izquierda, agarrado al palillo llamado estaquillador por el centro. El cite se produce con la muleta adelantada, a la distancia propia de la condición de la res. La distancia no debe ser muy corta, para evitar que el toro se ahogue, ni tan larga que pierda la visión de la muleta. Cuando el toro arranca se adelanta la pierna contraria, es decir, la derecha. El estoque no debe servir de ayuda, sino que irá, más o menos, apoyado en la cadera y a su caída natural. La muleta mediante leve «toque» provoca y fija la embestida del animal. El matador embarcará en la muleta dicha embestida, para marcar la trayectoria curva de la suerte, hasta rematarla detrás, hacia la espalda, y por debajo de la pala del pitón. En el centro de la suerte, el torero gira su cintura para acompañar el viaje del toro y a la vez perfilarse, sin perder de vista los pitones ni los vuelos de la muleta. Todo el peso del torero se vuelca sobre el pie izquierdo, mientras levanta suavemente el derecho, y queda colocado para comenzar el pase siguiente, sin cambiar, sin enmendar la posición. Así se «liga» un pase a otro, estrechando el círculo de tal manera que habrá de rematar la serie con el de pecho, echándose en un pase cambiado el toro por delante.

Por esta razón, por el angustioso estrechamiento de toro y torero, la tanda de naturales suele ser corta, entre tres y cinco pases, y el obligado de pecho.

El natural tiene, como la verónica con el capote, muy diversas variantes. Así, rematado por alto, se denomina natural por alto, suerte en casi total desuso que practicó con hermosa gallardía el gran torero madrileño Vicente Pastor. Pero tanto el natural como la verónica alcanzan su mayor esplendor cuando se ejecutan, se interpretan, con las manos bajas y se rematan por bajo.

En el natural clásico, como la verónica clásica, el cite es de frente. Desde la época del gran Guerrita, de Rafael Guerra, el cite es semi de frente, es decir, dando el medio pecho.

El cite de perfil no es en sí mismo rechazable —incluso a veces es necesario— pero resulta menos airoso.

El natural ayudado con la espada es un recurso legítimo para aliviarse del viento, y a veces sirve para alargar el viaje. Estos naturales ayudados tienen, cuando responden a un concepto lógico de la lidia, una gran belleza y armonía. De Antoñete, el genial maestro madrileño, se decía: «Tiene el defecto de comenzar los naturales ayudados, pero cuando remata, el público se ha olvidado del heterodoxo comienzo».

El pase natural de perfil lo ha plasmado con belleza, hondura y singular personalidad una figura tan fundamental del toreo como Manuel Rodríguez, *Manolete*.

Del pase natural ayudado con la espada, aparte la insuperable creación de Antoñete, se debe hacer hincapié en la rotunda versión que hace de él José María Manzanares. El torero alicantino recrea el natural, ayudado con ejemplar sentimiento. Tampoco puede caer en el olvido el natural ayudado del prodigioso, barroco y afiligranado torero sevillano Manolo Cortés.

El natural de frente y a pies juntos es una suerte llena de gracia. Su realización impone un buen juego de cintura y de muñeca. Pepe Luis Vázquez Garcés, el genial torero del barrio de San Bernardo; su hermano Manolo Vázquez y, en diferente medida, el torero de Linares Curro Vázquez, han hecho de este lance una obra de arte; el maestro catalán Joaquín Bernadó lo realiza con singular hondura.

El natural, el clásico, el fundamental pase del toreo de muleta, ha tenido sus mejores intérpretes, sus grandes creadores, entre los más grandes toreros de la historia: Rafael, *El Gallo*; Joselito, Belmonte, Chicuelo, Antonio Márquez, Félix Rodríguez, Fermín Espinosa, *Armillita* —el mejor torero mexicano de todos los tiempos—; Manolo, el mayor de los Bienvenida; Manolete, Luis Miguel Domínguín, Agustín Parra, *Parrita*; Pepe Luis Vázquez, Antonio Bienvenida y, ¡cómo no!, Antonio Ordóñez; para continuar con Rafael Ortega, el torero de la Isla; Paco Camino, El Viti... Tampoco se puede ni se debe olvidar el toreo al natural de Manuel Benítez, *El Cordobés*, genial e iconoclasta. Y de los últimos, el poder de Paquirri y el Niño de la Capea, la sutileza de Manzanares, la autenticidad del colombiano César Rincón, y el buen hacer de los toreros que en los albores del año 2000 nos hacen acudir con ilusión a un coso taurino: José Miguel Arroyo, *Joselito*; Enrique Ponce, Francisco Rivera Ordóñez, Víctor Puerto, José Tomás o el todavía novillero José Antonio Morante, en los carteles *Morante de la Puebla*.

El pase en redondo, derechazo, o natural con la derecha. Habíamos quedado con José María de Cossío en poner fin a la polémica antañona de si se debe o no llamar «natural» al pase de muleta con la mano derecha. Vuelvo a la definición más moderna, guiado, en parte, por José Antonio del Moral.

El pase con la derecha es básicamente igual que el pase natural. Sin embargo, la naturalidad de su ejecución no lo es tanto como el pase fundamental. En primer lugar, los trastos de torear, o sea muleta y espada, se llevan a una sola mano, la derecha. En segundo lugar, el pase con la derecha lleva siempre la ayuda de la espada —y, si es ayudado, no será tan natural—. En tercer lugar, al ejecutarse, realizarse con la mano derecha, el toro no sigue su salida natural, que es la izquierda.

Simplifico hasta el máximo: el pase en redondo o derechazo es un natural ejecutado con la muleta y el estoque cogidos con la mano derecha y quedando libre la mano izquierda, que para mayor belleza de la suerte debe ir en su caída natural, es decir, ni alta ni agarrada a la cintura, sino señalando el suelo, la arena. El pase con la derecha se puede realizar a pies juntos, por alto, por bajo, con el compás abierto o incluso prolongando el muletazo hasta consumar un círculo completo alrededor del torero.

La belleza y la perfección que el pase con la derecha ha llegado a tener, hace que sea fundamento de muchas faenas. Desde los tiempos del gran Gallito, José Gómez Ortega, conocido por Joselito, *El Gallo*, y su eterno rival el genial Trianero Juan Belmonte, el toreo en redondo y con la mano derecha se ha ido adueñando de la tauromaquia, se ha convertido en una suerte más, y no menor, de la lidia.

Son, por tanto, todos los mencionados como grandes del toreo al natural, valiosos creadores del toreo con la derecha. Aunque especialmente significativos son el malogrado valenciano Manuel Granero, el poderoso toledano Domingo Ortega, el genial mexicano Silverio Pérez.

El pase de pecho. En el concepto más genuinamente clásico del toreo, el pase de pecho es el remate lógico, obligado, del pase natural. Para los tratadistas primitivos, el pase de pecho era un complemento del pase regular o natural. Éste era el verdaderamente básico, y el de pecho, el de recurso.

Montes lo define así: «Es aquel que es preciso dar en seguida del pase regular, cuando el toro se presenta en suerte y el diestro no juzgó oportuno armarse a la muerte». Y añade: «Es muy bonito y más seguro que el regular».

En 1898 Aurelio Ramírez Bernal escribe en un artículo en la revista *Sol y Sombra*: «El verdadero pase de pecho se reduce a que se dé con la mano izquierda y que la muleta barra el lomo del toro desde la nuca a la penca de la cola».

La ejecución del pase de pecho viene forzada por el excesivo ajuste del natural. De aquí viene el llamado «obligado» o «forzado». Pero otras veces es el lidiador quien lo provoca, sobre todo para aliviar a la res, si va muy sometida en la serie o tanda.

El pase de pecho da salida al toro por el lado contrario al que se cita. La pierna izquierda, sobre la que se cargó todo el peso del cuerpo en el pase natural, es el eje del pase de pecho. La pierna derecha debe dar un paso adelante. El matador, sin perder terreno y muy quieto, al volver el toro lo embarcará entero para darle salida por alto y barrer los lomos del animal hasta la penca del rabo.

Si antiguamente fue un pase de recurso, hoy es fundamental. Ligar, sin ceder terreno, una serie de naturales es el punto culminante de la faena de muleta.

El pase de pecho con la derecha es el remate adecuado a una serie de pases en redondo, pero no tiene la grandeza del pase de pecho ni debería llamarse así. Cossío, con estupendo criterio, hace la siguiente observación: «No me parece dudoso el que puedan darse pases de pecho con la mano derecha. Por su carácter y finalidad deben denominarse «pase cambiado por alto».

El pase de pecho ha sido interpretado con singular empaque por Juan Belmonte. Inconfundibles son las fotografías que retratan los pases de pecho de Antonio Ordóñez, Antonio Chenel, *Antoñete*; Santiago Martín, *El Viti*; Paco Ojeda, José María Manzanares y José Miguel Arroyo, *Joselito*.

Pase por alto. Es el que se ejecuta con la mano derecha tanto a pies juntos como con el compás abierto. Es el remate lógico de una serie de pases en redondo con la derecha. También se utiliza como adorno para abrir faena. Es un pase vistoso aunque accesorio. El pase por alto del gitano Joaquín Rodríguez, *Cagancho*, era de un altísimo contenido estético, y en esa línea (también eran gitanos) lo interpretaban con infinita gracia Rafael Ortega, *Gallito*, y Rafael Albaicín. Curro Romero y Rafael de Paula lucen como pocos su empaque en este muletazo cambiado por alto.

Pase cambiado. Es un espectacular pase empleado para empezar la faena. Se cita al toro desde el centro del ruedo y, de frente al toro, cuando éste llegue a jurisdicción, se le marca la salida por el lado contrario al cite. El maestro Antonio Bienvenida lo ejecutaba sin desplegar la muleta. Pedro Martínez, *Pedrés*, el gran torero de Albacete, comenzaba sus faenas con un pase cambiado, que ejecutaba con tal perfección que se le conoce como «pedresina».

Trinchera (trincherilla, trincherazo). De los pases cambiados por bajo, es, seguramente, uno de los más bellos. Unas veces se ejecuta rodilla en tierra, para hacerse con los toros huidos, otras para adornar aún más el lance. De pie, tiene la misma belleza y finalidad. Cuando la trinchera se hace en corto o a pies juntos se llama «trincherilla». Cuando se hace con el compás abierto, se alarga, se ahonda, y en definitiva resulta un lance de poder, de dominio, se llama «trincherazo».

Entre los mejores intérpretes de la trinchera, rodilla en tierra, figuran por derecho propio Antonio Ordóñez y Antoñete. La trincherilla ha sido propia de toreros artistas, de sentimiento. Curro Romero y Curro Vázquez pueden valer como ejemplo. El trincherazo como pase de poder y dominio ha tenido a Domingo Ortega y, recientemente, al Niño de la Capea como consumados especialistas.

Sin embargo, fue un torero mexicano, Silverio Pérez, al que apenas se le vio torear en España, y al que se reconoce con el bello apodo de «Faraón de Texcoco», el verdadero «rey» del trincherazo.

Néstor Luján escribe la semblanza de Silverio: «Ha representado la superación dramática del posbelmontismo dentro de una visión mexicana, sacudida, solar y apasionada».

Sigue el prodigioso escritor catalán: «Silverio es físicamente lo contrario de Manolete; su simpatía, fea y sonriente, se transmitía en el momento de torear y parece que lo hace con los brazos dormidos. Su trinchera es insolente, recia...».

Ayudados. Son muletazos que se ejecutan con las dos manos, por alto y por bajo. En el ayudado por alto, el diestro cita a media distancia y una vez que el toro arranca, fijo en los vuelos de la muleta que ha sido adelantada, los brazos del torero, que sostienen la muleta, avanzan hacia donde quiera llevar toreado y hacia arriba. Al tiempo, el diestro acompaña la embestida con el giro flexible de su cintura. El toro sale bajo la muleta, que barre sus lomos. Cuando se ligan varios ayudados, entre tres y cinco, la serie adquiere toda su belleza. El remate lógico puede ser un pase de pecho con la mano izquierda o un ayudado por bajo. Cuando el torero junta los pies y los mantiene en el transcurso del ayudado por alto se llama estatuario.

Para no hacer muy repetitiva la lista de toreros, el ayudado por alto ha sido interpretado con suprema cadencia y elegancia por José María Manzanares. El estatuario era ejemplar en Manuel Rodríguez, *Manolete.* Hoy lo ejecuta con un toque muy personal el joven matador de Galapagar (Madrid) José Tomás.

El ayudado por bajo se ejecuta como el ayudado por alto, sólo que el diestro en vez de alzar las manos, las baja. Es un pase muy bello y muy eficaz por lo que lleva de dominio. Se puede interpretar bien de pie o de rodillas. Si de pie resulta muy natural, de rodillas produce un gran efecto emotivo y estético.

También puede considerarse ayudado el pase natural rodilla en tierra cuando es prolongado con la ayuda de la espada.

El ayudado por bajo de pie lo ejecutaba con singular empaque y tronío Antonio Bienvenida. De rodillas Antonio Ordóñez, y actualmente es un verdadero especialista Enrique Ponce.

El toreo de adorno. El toreo de adorno con la muleta es el resultado de la inspiración de los toreros, de su capacidad de improvisar, de inventar. Los pases de adorno, además del sentimiento, producto de la inspiración, son a veces eficaces y dominadores. Aparte que alegran y dan variedad a la faena de muleta.

El toreo de adorno integrado con el fundamental no se puede llamar accesorio.

Pase afarolado. Es similar al farol con el capote, sólo que se da con una sola mano. Si se da con la mano derecha, el cite es igual que para el pase por alto. Si se da con la mano izquierda, el comienzo del pase afarolado es idéntico al pase de pecho. También se da a pies juntos. En definitiva, es un pase muy imaginativo y de gran efecto. Lo inventó Rafael, *El Gallo*, y de los toreros que mejor lo han interpretado debe citarse al maestro Antonio Ordóñez y al gran torero salmantino Santiago Martín, *El Viti*. En los años cuarenta lo hizo célebre Juanito Belmonte Campoy.

El molinete. Es el pase de muleta similar al lance de capa llamado «navarra». Se cita como en el pase natural, y en el momento de llegar el toro el diestro «rompe el viaje» de éste girando sobre sí mismo en sentido contrario. El gran Joselito, *El Gallo*, fue memorable intérprete del molinete con la izquierda; pero su rival, el revolucionario Juan Belmonte, comenzó a darlo con la mano derecha, interpretándolo con gran justeza y dramatismo. La versión del gran Gallito la ejecuta hoy día con mucho empaque, ajuste y belleza su homónimo José Miguel Arroyo, *Joselito*. La versión abelmontada, de gran patetismo, la ejecuta con especial hondura Emilio Muñoz, torero nacido en Triana y de singular personalidad a pesar de sus, por desgracia, repetidos fracasos en la plaza de Madrid, la Monumental de las Ventas.

El kikirikí. Uno de los más hermosos pases de adorno con la muleta. Una mezcla del ayudado y el cambiado por bajo, ejecutado a media altura, llevando el diestro los codos a la altura de los hombros. Una fantasía gallística. Un invento de Rafael, *El Gallo*, que perfeccionó su hermano Joselito, *El Gallo*. En todo caso, un poema, que bautizó con este nombre el crítico Alejandro Pérez Lujín, *Don Pío*. Y tan hermoso lance ha sido privativo de toreros de arte, de sentimiento, de arrebatada inspiración. Grabados en la retina están kikirikíes de Pepe Luis Vázquez, de su hermano Manolo Vázquez, de Antonio Bienvenida, de Curro Romero...

La giraldilla. Se cita de frente y a pies juntos. El torero lleva la muleta a la espalda, y sujeta con la mano derecha; al llegar el toro a jurisdicción pasa la franela por encima de la cabeza del bóvido, y barre con ella su lomo de principio a fin, momento en que gira sobre sus pies. El grandioso torero cordobés Manuel Rodríguez, *Manolete*, le dio un aire innovador, diferente. Manolete agarraba la muleta con la mano izquierda por la punta más próxima a su cuerpo. Esta versión de la «giraldilla» pasó a la historia con el nombre de manoletina. Pero un torero catalán, finísimo, Joaquín Bernadó, hoy profesor de la Escuela Taurina de Madrid, convirtió la antigua giraldilla, la arriesgada manoletina, en la singularísima bernadina. Joaquín Bernadó citaba con la muleta en la espalda, pero ofrecía sólo media muleta, a la vez que llevaba el estoque por delante.

Entre los pases de adorno no se puede olvidar la sanjuanera, una especie de ayudado por alto que inventó el mexicano Luis Procuna, tal vez su único intérprete. El pase de las flores, una bellísima creación de Victoriano de la Serna, que, en cierto modo, resucitó el Niño de la Capea. El pase del celeste imperio, creación de Rafael, *El Gallo*, que ejecutaron con tanta gracia como donaire su sobrino Rafael Ortega, *Gallito*; Joaquín Rodríguez, *Cagancho*, y Rafael Albaicín.

El abaniqueo era un barroco remate que practicaba

con enorme soltura y belleza José Fuentes, un torero de Linares de enorme calidad, al que malograron su apatía y las cornadas. El pase del desprecio, en México llamado del desdén, es un ayudado por bajo muy recortado y de gran efecto óptico y estético. Este bello muletazo lo han practicado con general alabanza los grandes toreros mexicanos Manolo Martínez, muerto en 1996, de grave enfermedad, y Miguel *Armillita*, el hijo del gran Fermín Espinosa. Si su padre, con Gaona y Silverio Pérez, forman el trío, la terna, de los mejores toreros mexicanos de la historia, Miguel Espinosa, *Armillita*, es el mayor artista del toreo mexicano en la actualidad.

Toreros que han sabido adornarse con oportunidad, elegancia, improvisación e inspiración, deben destacarse a Manolo Cortés, Curro Vázquez, Rafael de Paula, Pepe Luis Vázquez hijo, y los mexicanos Eloy Cavazos y Alejandro Silveti. De las figuras actuales, Joselito y Enrique Ponce; de los del porvenir, Víctor Puerto, José Tomás y Morante de la Puebla.

El pase de la firma es igual que un natural o un derechazo. En lugar de rematar atrás a la mitad de la suerte se recogen los vuelos de la muleta hacia el cuerpo. Se llama de la firma por ser la «rúbrica» de una serie de muletazos, el sello propio de la personalidad de un torero. El valenciano Manuel Granero pasa por ser su mayor intérprete. Hoy día cada torero posee su particular pase de la firma.

La variedad del toreo de muleta no se acaba en los adornos; hay también muletazos de recurso, que además de efectivos son muy hermosos.

Pases de tirón. Son los utilizados para cambiar el toro de terreno, para sacarlo de alguna querencia inconveniente, para fijarlo en la muleta, para corregir resabios. Antonio Bienvenida, Antonio Chenel, *Antoñete*; Paco Camino y Santiago Martín, *El Viti*, han manejado estos pases de recurso con simpar maestría.

De pitón a pitón. Estos pases sirven sobre todo para ahormar la cabeza de un toro con dificultades. Su finalidad es provocar el cansancio; incluso sirven para cuadrarlo antes de la estocada. A los pases de pitón a pitón se les llama macheteo. Es un recurso de los grandes lidiadores, de toreros de poder, y a la vez, por raro que parezca, un recurso propio del toreo a la defensiva. Toreros de valor y poder han basado sus éxitos en faenas planteadas sobre el toreo de pitón a pitón, como el gaditano Francisco Ruiz Miguel, y el trasteo a la defensiva lo han empleado con enorme eficacia artistas de la talla de Antonio Bienvenida y Curro Romero.

Desplantes. No son pases, ni adornos propiamente dichos; son más bien un alarde de valor, un recurso improvisado para resolver una situación comprometida. El desplante es como la guinda, el postre, de una importante faena; o un simple gesto de valor, de suficiencia, un golpe de gracia. Existen mil tipos de desplantes, desde los achabacanados y groseros de Manuel Benítez, *El Cordobés*, a los distinguidos y elegantísimos de Antonio Bienvenida y Curro Romero, los graciosos y gentiles de Diego Puerta y Paco Camino, o los sobrios y señoriales de Antonio Ordóñez y El Viti. Desplantes sobrecogedores por el derroche de valor y alarde de hombría fueron los del gran torero algecireño Miguel Mateo, *Miguelín*, o los del inolvidable Paquirri, y llenos de arrogante superioridad los de Luis Miguel Dominguín.

La suerte de matar. Es la llamada suerte suprema. Un concepto que no debería perderse. Es cierto que ha perdido preponderancia ante la faena de muleta. Sin embargo, una buena faena de muleta debe tener el refrendo de una buena estocada.

Para realizar con éxito la suerte de matar el toro debe estar bien cuadrado. Es decir, con las pezuñas de las manos juntas y cuadradas las patas. El torero realizará la suerte en el sitio más propicio: el tercio, sobre todo; los medios, en casos excepcionales; las tablas, en el peor de los casos.

Se entra a matar en la suerte natural, que se corresponde con la posición del toro cuando su costado derecho da hacia las tablas.

Al ser herido, el toro saldrá de la suerte hacia el centro del ruedo y el matador hacia las tablas.

La suerte contraria se practica cuando el toro, dada su condición o resabios adquiridos, se coloca con el costado izquierdo hacia las tablas. El toro, al ser herido, saldrá apretando hacia la barrera y el diestro saldrá hacia afuera. Es la suerte más comprometida y peligrosa, pero, muchas veces, necesaria.

Otras veces será necesario matar a paso de banderillas, o de dentro afuera, o al hilo de las tablas, o de fuera adentro.

La suerte de matar es más pura, más bella y hermosa si se realiza en corto y por derecho. Veamos.

Una vez cuadrado el toro, también se dice igualado, el matador se sitúa frente a la res en corto, entre un metro o metro y medio, en medio de ambos pitones, con el estoque empuñado con la mano derecha elevado a la altura del corazón, la muleta liada en la mano izquierda; avanzará la pierna izquierda hacia delante y, al tiempo, arrancará para herir mientras arrastra la muleta hacia las pezuñas del toro para obligarle a humillar, quedando así descubierto el morrillo por donde deberá entrar la espada.

Mientras el estoque hiere al toro en lo alto, la muleta conducirá su embestida hacia fuera como en un pase de pecho. El matador saldrá, tras hacer el cruce, ajustado a los lomos del toro. A este cruce se le llama «hacer la cruz». Al torero que no «hace la cruz» se lo lleva el diablo; bello dicho.

Ésta es la suerte más común, llamada a volapié; si el matador provoca la arrancada del toro, se llama «suerte de recibir», la más celebrada en la tauromaquia clásica. Si el toro y el matador arrancan a la vez se llama «al encuentro o a un tiempo». Suerte dificilísima, pero de gran emoción.

A lo largo de la historia ha habido gran número de estoqueadores. En la vieja suerte de recibir fue célebre Pedro Romero. El volapié fue inventado por Joaquín Rodríguez, *Costillares*. La invención de la suerte a «un tiempo» se atribuye al ecléctico torero de Chiclana Jerónimo José Cándido, que enseñó a su discípulo favorito, el famoso Francisco Montes, *Paquiro*.

Los mejores estoqueadores de la historia han sido el cordobés Manuel Rodríguez, *Manolete*; Rafael Ortega, el maestro de San Fernando; Paco Camino, el grandioso torero de Camas, y el infortunado torero de Barbate Francisco Rivera, *Paquirri*. En estos días, el maestro madrileño José Miguel Arroyo, *Joselito*.

A ellos hay que añadir a Salvador Sánchez, *Frascuelo*; Luis Mazzantini, El Algabeño, Martín Agüero, Rafael González, *Machaquito* —cuya estocada está inmortalizada por el escultor Mariano Benlliure—; el torero malagueño Paco Madrid, el bravísimo torero aragonés Nicanor Villalta, el gitano Cagancho, el «artista de la vida» Domingo Dominguín —hermano mayor de Luis Miguel—, Jaime Marco, *El Choni*; el ecijano Jaime Ostos, el zamorano Andrés Vázquez, el alicantino José María Manzanares y el riojano Antonio León.

Si por verdadera mala suerte el toro no ha muerto de la estocada, el espada utiliza el estoque de cruceta, llamado «descabello».

Con él dará fin a la res de un certero golpe entre dos vértebras cervicales. El torero valenciano Vicente Barrera, abuelo del actual Vicente Barrera (torero, por cierto, cuya enorme personalidad ha levantado grandes entusiasmos entre los aficionados), fue un auténtico prodigio en el uso del descabello, y en estos tiempos el matador vallisoletano Roberto Domínguez.

Fracaso y triunfo. Muerto el toro, es el momento para que el público se pronuncie, emita su juicio sobre la faena presenciada. Si la labor del diestro no ha sido del agrado del público, éste se manifiesta con silbidos y pitos, abucheos, bronca. Si la labor ha dejado indiferente al respetable, ¡mal síntoma! Éste guardará silencio. Finalmente, si el público —juez supremo— ha valorado la faena de forma positiva, exterioriza su opinión con aplausos, ovaciones e incluso hará flamear pañuelos en solicitud de trofeos: una oreja, dos orejas o las dos y el rabo.

El presidente, atendiendo a la petición del público, concederá la primera oreja flameando él, a su vez, el pañuelo blanco. La segunda oreja, que premia una faena excepcional, es privativa del presidente, pero lo lógico y correcto es que atienda la mayoritaria petición del público. El rabo es trofeo carísimo de ver. Hubo una época en que se abusó de solicitar y de conceder dicho trofeo. Hoy el rabo, así debe ser, es un premio para faenas que sobrepasan lo excepcional.

Una idea del valor que este trofeo puede tener la da la estadística de las dos plazas consideradas más importantes de España: Sevilla y Madrid.

El último rabo concedido en la Maestranza de Sevilla fue en el año 1970, al diestro Francisco Ruiz Miguel, tras un heroico trasteo a un toro de Eduardo Miura. En las Ventas de Madrid, en 1972, el día 22 de mayo, se otorgó el rabo al bravo y batallador diestro Sebastián Palomo Linares, por una emotiva, templada y racial faena al toro *Cigarrón*, de Atanasio Fernández. Para muchos aquella faena no mereció el preciadísimo peludo apéndice.

Sin embargo, críticos de la solvencia, rigor, independencia y sano juicio de Julio de Urrutia y José Luis Suárez-Güanes escriben:

«La importancia radicó no en las infinitas discusiones

sobre la legalidad o no de aquella concesión hecha al diestro por el bondadoso presidente, sino en el reconocimiento público de que, a pesar de todas las contingencias, Palomo Linares era ya virtualmente una figura del toreo».

Por su parte, Suárez-Güanes describe: «Enrabietado, pero con calmosa tranquilidad, desgranó una faena antológica».

El caso es que aficionados cabales y de gran solvencia han presenciado, tanto en Sevilla como en Madrid, faenas muy superiores a la del valiente Ruiz Miguel o a la del aguerrido Palomo Linares.

Si no hay trofeos pero la ovación es suficientemente nutrida, el torero dará la vuelta al ruedo acompañado por su cuadrilla. La ovación con saludos desde el tercio es también un reconocimiento a la labor del diestro durante la lidia.

Una vez concedidos los trofeos, un alguacilillo se lo entregará, respetuosamente destocado, al matador, que tras saludar al presidente, los exhibirá en una vuelta al ruedo lenta y solemne.

Cuanto mejor haya sido la faena más fuertes sonarán las ovaciones y más tendrá que corresponder el diestro, al que suelen arrojar todo tipo de sombreros, flores, cigarros puros y otras prendas de mejor o peor gusto.

Una vez arrastrado el último toro de la corrida, si algún torero ha triunfado rotundamente, con corte de dos orejas o más trofeos, será alzado en hombros y así dará una vuelta al ruedo, hasta salir por la puerta grande de la plaza.

A veces, raras veces, los tres espadas han triunfado y también la ganadería, y entonces salen en hombros toreros y el mayoral de la ganadería e incluso el ganadero. Estos momentos de apoteosis tienen una fuerte carga emocional; un sentido casi religioso; es cuando el pueblo llano y soberano proclama a sus ídolos. El torero como héroe.

Estos estados de paroxismo y de bella locura, de éxtasis ante la belleza de la lidia completa, merecen unos pocos recuerdos.

Madrid, año 1982, con toros de Victorino Martín y a hombros Francisco Ruiz Miguel, Luis Francisco Esplá y José Luis Palomar.

Salamanca, año 1985, con toros de Sepúlveda y en hombros José María Manzanares, Niño de la Capea y Paco Ojeda.

Sevilla, años sesenta; toros de Benítez Cubero y en hombros Diego Puerta, Curro Romero y Paco Camino.

Málaga, años sesenta, toros de Carlos Nuñez y a hombros Antonio Ordóñez, Diego Puerta y Paco Camino.

EL REJONEO

El rejoneo o toreo a caballo tiene su origen en el alanceamiento de reses bravas que servían de entrenamiento a los caballeros y de entretenimiento a la aristocracia. De ahí parte la corrida moderna y la lidia ecuestre.

La lanza fue el instrumento de la más noble suerte del toreo a caballo. El historiador Pedro de Aguilar, que conoció la suerte en su apogeo (1578), escribe: «Las lanzas más útiles y de provecho para el esperar de los toros son las de fresno. Porque lo que en más se tiene y estima en este género de torear es dar lanzadas que pasen los toros de banda a banda. Y con ningunas otras se puede acertar mejor que con las de fresno, por el mucho peso y fuerza que tienen».

La lanza era de unos dieciocho palmos, once de la mano al hierro; tenía atrás un cuarto de plomo para hacer contrapeso. Sobre el año 1600 escribió Vargas Machuca en su libro *Ejercicios de la jineta*: «La lanza debe ser de buena asta de veinticinco a veintiséis palmos, con su hierro grande de mojarra, bien afilado y de buenos aceros».

El rejón es el instrumento de torear a caballo que practicaban los caballeros y que se llamaba «rejonear». El rejón es un asta de madera de metro y medio de largo, con una mojarra en la punta y una muesca cerca de ella.

Sánchez de Neira hace la siguiente descripción: «Debe ser de madera vidriosa para que se quiebre sin notable resistencia, de unas siete cuartas de longitud, o metro y medio, poco más. Su hechura es como la de un lanzón antiguo, es decir, que desde la punta es recto hasta una tercia antes de su remate, y éste va ensanchando en forma cónica; tiene un corte arriba, formando puño, que hace fácil abarcarle por aquel sitio y además suele hacérsele una hendidura, una tercia más arriba de su final inferior, con objeto que quiebre con poco esfuerzo. La parte baja, la más inmediata a la punta, tiene un hierro o lanza en forma de hoja de rosal, muy punzante y cortante, y la madera suele pintarse de distintos colores y diversos dibujos».

Sólo queda añadir que hoy el rejoneo constituye una lidia y el tamaño de la lanza del rejón varía según que el rejón sea para lucimiento del caballero rejoneador y quebranto del toro o rejón de muerte, en cuyo caso la cuchilla es más larga.

Las primeras corridas de toros protagonizadas por caballeros cayeron en desuso en el siglo XVIII con el advenimiento al trono de España de la casa de Borbón. La Corte se alejó de los toros y tomó auge el toreo a pie. La vara de detener, propia de la tradición campera, sustituye al rejón. La suerte de alancear quedó en manos de los «varilargueros», los primitivos picadores, que conservaron el derecho de usar oro en los adornos de sus casacas, costumbre —¡hermosa por demás!— que subsiste en la actualidad.

El toreo a caballo, salvo esporádicas excepciones, dejó de practicarse en España. Portugal, en cambio, mantuvo la tradición. Mientras en España se perfeccionaba la lidia a pie, en Portugal se prodigó el toreo a caballo.

A principios del siglo XX, algunos caballeros españoles empiezan a torear a caballo, en fiestas ocasionales, según el modo portugués. Antonio Cañero, un capitán de caballería cordobés, se anunció formalmente en los carteles como rejoneador.

Antonio Cañero supone el principio de la evolución del toreo a caballo en España. Nunca se perdió del todo, ya que fue ejercicio habitual de los campos ganaderos andaluces, pero Antonio Cañero lo convirtió, gracias a su arte, en una atracción añadida a la corrida convencional. Antonio Cañero compite en los ruedos con los famosos maestros portugueses João Nuncio y Simão da Veiga. Pronto comienzan a salir emuladores, como el mismísimo Juan Belmonte, que, retirado del toreo, se refugia en el rejoneo para mantener el fuego de su afición.

Álvaro Domecq Díez, ganadero y escritor, es el gran artífice de la lidia a caballo a la española. Álvaro Domecq aprende la técnica del maestro portugués Nuncio y se preocupa de la doma de sus caballos para lograr que el equino toree. Junto a él, en menor medida, destaca el Duque de Pinohermoso. En 1940 aparece la gran figura de Ángel Peralta y el rejoneo adquiere en España su mayoría de edad. A la vera del magisterio de Peralta surgen grandísimos toreros a caballo, como su hermano Rafael, Álvaro Domecq Romero, hijo del gran Álvaro Domecq Díez; Fermín Bohórquez, Manuel Vidrié y muchos artistas más.

El caballo torero o caballo de rejones tiene que reunir una serie de condiciones muy precisas: fortaleza, rapidez, valor. El caballo español es el más adecuado para esta clase de lidia. Ahora bien, según el arte del rejoneo se perfeccionaba, el cruce de razas fue mejorando el caballo torero. Hoy día podemos ver torear al hispano-inglés, al hispano-árabe, incluso al «lusitano», al anglo-hispano-árabe o al espectacular «cuarto de milla».

La doma llamada «vaquera», imprescindible en las tareas camperas, es la idónea para el arte del rejoneo. Álvaro Domecq Díez introdujo la «alta escuela» en el rejoneo, con lo que recuperó lo que tenía de aristocrático el toreo a caballo. Un rejoneador que se cotice ha de dominar el «paso español», «la pirueta», «el pasaje», «el plafé», el «galope de costado», etc.

La montura habitual del rejoneo a la española es la «silla vaquera», aunque a partir de 1970 se generaliza la montura mixta, mitad vaquera, mitad portuguesa, más cómoda.

La vestimenta apropiada del rejoneador español es de gran belleza y sencillez, adaptada de las necesidades del trabajo campero. Sombrero cordobés, chaquetilla corta y ceñida, «calzona» o pantalón corto y ceñido, zahones —delantales de cuero que cubran la parte anterior de las piernas— y botos.

Los portugueses visten casaca de seda bordada en oro, camisa con chorreras, calzón corto y tricornio para cubrirse.

La lidia de un toro para rejones, como la lidia a pie, se divide en tres tercios. En la salida del toro se utilizan los rejones llamados de castigo; equivale a la suerte de varas. El rejón de castigo debe tener un largo de 160 centímetros y una cuchilla de doble filo en su final. Esta cuchilla va unida al palo del rejón por un taco de madera con una muesca en su mitad para que al clavar ambas partes queden separadas. La bandera que ondea el rejoneador está liada al palo y se desata al clavar el rejón.

Tras los rejones de castigo se pasa al tercio de banderillas. Las banderillas o farpas tienen la misma longitud que los rejones y un arpón similar al de las banderillas utilizadas en la lidia a pie. Los rejoneadores, por lo general, adornan el tercio clavando banderillas a dos manos, banderillas cortas, o las «rosas», banderillas cortísimas inventadas por Ángel Peralta.

En el último tercio, o de muerte, es utilizado un rejón que lleva una hoja de espada unida al mango de madera del que se separa por el mismo procedimiento que el rejón de castigo. Resulta obvio decir que se llama rejón de muerte.

LA LIDIA A CABALLO

Primer tercio. En primer lugar hay que parar al toro, fijarlo. Igual que en el toreo a pie, hay quien lo recibe en la misma puerta de chiqueros —a porta gayola—, o bien quien lo para en los medios mediante recortes en círculo cada vez más cerrados, o, por último, quien prende al toro en la cola del caballo y va templándolo hasta que considera que está fijado.

Cuanto menos galopadas y recortes sean necesarios para fijar al toro, para pararlo, mejor será el toreo. Una vez parado, se clavan los rejones de castigo. Cuanto más breve y ajustado sea el tercio, mejor.

Tercio de banderillas. El segundo tercio es el más lucido, vistoso, variado y bello. El toro fijado, parado, castigado, acude al caballo con más temple. El rejoneador puede lucir todas sus habilidades, desarrollar su torería, su sentido artístico, su valor, su capacidad dominadora tanto del caballodoma como del toro-lidia.

Banderillear a caballo permite tanta variedad de suertes, quizá más, que a pie. Se banderillea de frente, al sesgo, al quiebro, al cambio, a una o dos manos. Con palos largos o cortos. De dentro afuera, de fuera adentro, por los terrenos de adentro, en el tercio, en los medios.

La suerte de mayor mérito, de más riesgo y de más valor artístico es la ejecutada en los medios, yendo de frente, muy despacio, haciendo la reunión a la altura del estribo del caballo, clavando en lo alto del morrillo del toro y sacando el par de abajo arriba.

Una hermosa suerte, de gran vistosidad y mérito es el llamado «par del violín», en el que se clavan las banderillas con la mano derecha pero por el lado izquierdo, levantando el jinete el brazo por encima de su cabeza.

En este curioso par del violín destacaron Bernardino Landete, un rejoneador muy voluntarioso que no llegó a alcanzar la condición de figura, pero sí un puesto digno, y, sobre todo, Ginés Cartagena, que murió en un fatídico accidente de tráfico en 1995, cuando, por su exultante juventud, tenía por delante un espléndido futuro. Cartagena, que apareció rutilante en los años ochenta, ocupó hasta su prematura muerte un puesto cimero en el arte del toreo a caballo. Su estilo era más discutible. Cartagena decantó su arte por los caminos de la espectacularidad, soslayando la tradición más clásica. Un sobrino suyo, Andy Cartagena, está actuando en los ruedos con enorme éxito, con un estilo calcado al de su malogrado pariente.

Último tercio. Lo más lucido, valeroso y valorado es acabar con el toro mediante el llamado rejón de muerte. Si no se consigue, el rejoneador puede echar pie a tierra y, tras breve faena de muleta, matar a estoque o utilizar el descabello.

Matar con el rejón es muy difícil, y, más aún, clavar arriba. Por lo general el rejón de muerte cae bajo o atravesado. Cuando el rejoneador no es capaz de matar a pie con el estoque deja la consumación de la suerte a la «sobresaliente», función que ocupan novilleros o matadores en la nunca grata función subalterna y además opaca.

El arte del rejoneo ha tenido y tiene una gran vigencia en Portugal. En España, tras el pionero Antonio Cañero, la corta pero intensa renovación de Álvaro Domecq Díez vivió momentos de esplendor con Ángel Peralta, Álvaro Domecq Romero y Manuel Vidrié, más la aportación importantísima de rejoneadores portugueses como José Samuel Pereira Lupi y el fenomenal João Moura.

En los años setenta, y hasta los ochenta, triunfan Fermín Bohórquez Escribano, muy alegre y campero; Curro Bedoya, estupendo jinete; Luis Miguel Arranz,

ejemplo de vocación y torería, y Javier Buendía, de gran familia ganadera, gran rejoneador e intérprete, casi exclusivo, de la suerte de recibir a porta gayola con la garrocha.

Tras un pequeño declive en nuestros días, han surgido un grupo de rejoneadores cuya juventud y entusiasmo han vuelto a interesar a los públicos. Junto a Luis y Antonio Domecq, destacan el hijo de Fermín Bohórquez, más clásico y puro que su padre, pero menos alegre, y el rejoneador de Estella Pablo Hermoso de Mendoza, con un estilo clásico, sentido del temple y del espectáculo.

El rejoneador gitano Antonio Correas y el cordobés Leonardo Hernández ocupan un digno sitio. Entre las promesas, aún sin contrastar por el escaso tiempo en la profesión, los más sonoros son el mencionado Andy Cartagena, Javier Mayoral y Miguel García.

De la ejemplar y siempre vigente escuela portuguesa, aunque torean poco en España, hay que destacar en primer lugar a Joaquín Bastinhas, un rejoneador revolucionario, un artista genial, único, uno de los grandes de todos los tiempos.

João y Antonio Ribeiro Telles son dos magníficos representantes del estilo más clásico y puro del mejor toreo a caballo. Paulo Caetano y João Salgueiro gozan de renombrada fama y alta cotización.

No se puede olvidar en la

historia de la lidia a caballo la aportación del genial trianero Juan Belmonte, del «ciclón» mexicano Carlos Arruza y, en la actualidad, del singular torero sanluqueño Paco Ojeda.

Para terminar con este apartado sobre el toreo ecuestre, sobre la lidia a caballo, es obligada una breve semblanza de los más destacados rejoneadores españoles y portugueses, de los que de algún modo han escrito la historia.

Don Juan Gaspar *Alonso Enríquez*. Almirante de Castilla, fue gentilhombre de la cámara de los reyes Felipe IV y Carlos II. Estaba considerado como el primer rejoneador y caballero en plaza de su tiempo. Valgan estos versos de Francisco Bernaldo de Quirós:

Vos, señor, fuisteis la fiesta,
que aunque otros torearon,
llevaste todos los ojos
de la villa y del palacio.

João *Alves Branco Nuncio*, João Nuncio. Extraordinario rejoneador portugués nacido en 1901. Fue un torero completo. Alegre, decidido, rico en adornos. En España toreó por primera vez en 1927, donde conquistó un gran cartel. José María de Cossío escribe: «Es, sin vacilar, la primera figura del toreo a caballo portugués. Su influencia en el perfeccionamiento de su arte ha sido indudable, y él ha añadido al toreo a caballo maneras y cualidades que parecían reservadas

al toreo a pie». Estuvo en activo hasta 1973.

Basilio *Barajas*. Rejoneador madrileño nacido en 1881. Fue monosabio de la plaza de Madrid. Fue un jinete seguro, dominador y valiente. Nunca preparó especialmente caballos para la suerte del rejoneo, sino que montaba cualquiera de los dispuestos para picar, lo que da idea del mérito que tuvo.

Antonio *Cañero*. Rejoneador nacido en Córdoba. Comienza a rejonear en 1913. A partir de 1921 su fama de rejoneador empieza a crecer. Cañero viste el traje de campo andaluz; el mismo estilo corresponde al aparejo de sus jacas y la especie de su doma. Si no lograba matar al toro con rejón, lo hacía a pie y con estoque.

Antonio Cañero concibe su actuación como una lidia completa a caballo. El año 1925 es su temporada más triunfal, torea cerca de 60 corridas y se presenta en Portugal. Sigue en activo hasta 1935, pero limitando el número de actuaciones. Tras la guerra civil torea sólo en festejos benéficos. En definitiva, Antonio Cañero ha sido el gran pionero del rejoneo a la española, que, con el paso del tiempo, ha llegado a sostener una competencia de igual a igual con la clásica escuela portuguesa de rejoneo.

Concepción *Cintrón*, Conchita Cintrón. Extraordinaria rejoneadora y torera a pie. Nació en Antofagasta (Chile), hija de padre puertorriqueño y madre norteamericana de origen irlandés. Desde muy pequeña residió en Lima (Perú). Allí recibió sus primeras enseñanzas de equitación del rejoneador portugués Ruy da Cámara y de toreo a pie del espada español Diego Mazquiarán, *Fortuna*.

En 1945 debutó en España como rejoneadora. No se le permitió torear pie a tierra. Debido a esta prohibición, Conchita Cintrón no prodigó sus actuaciones en España: 38 festejos en 1945, 48 en 1946, sólo uno en el año siguiente, tres festejos en 1948 y cuatro en 1949. En cambio actuó con grandísimo éxito en los ruedos de Portugal, México y el sur de Francia. En 1950 se despidió de los ruedos españoles actuando en 19 festejos. El último, el día 18 de octubre, en Jaén. Se casó con un aristócrata portugués, sobrino de su maestro Ruy da Cámara, y allí, en el país vecino, se hizo ganadera de reses bravas.

Cossío escribe: «Esta bella, esbelta y magnífica rejoneadora y torera a pie, cuyos conocimientos de la lidia eran extraordinarios, tanto como su excepcional dominio de las cabalgaduras, alcanzó una categoría difícilmente igualable».

Álvaro *Domecq Díez*. Rejoneador nacido en Jerez de la Frontera, ganadero y escritor. Tras haber intervenido en gran número de festivales benéficos, en 1943 comenzó a actuar en corridas de toros. En 1944 se presentó con gran éxito en Madrid. En 1946 debutó en México. Se retiró en 1950. En el *Cossío* se hace de él esta semblanza: «Es de justicia anotar en el haber de este magnífico artista la resurrección del rejoneo. Su estilo campero, tanto a caballo como a pie, causaron gran impacto en los espectadores de la época».

Álvaro *Domecq Romero*. Rejoneador jerezano hijo del gran patriarca Álvaro Domecq Díez. En 1956 actúa en festivales con sólo 16 años de edad. En 1959, en el secular ruedo de Ronda, hace su presentación como rejoneador profesional. En 1962 se presentó en Madrid y al año siguiente en México. Ha permanecido en activo, con algunos años de descanso, hasta 1992, año en que confirmó la alternativa a sus sobrinos Luis y Antonio en la madrileña plaza de las Ventas.

José Antonio del Moral hace juicio de Domecq Romero: «Alvarito Domecq ha sido quizá el mejor y más completo rejoneador de todos los tiempos». Cossío escribe sobre lo depurado de su estilo amoldado a las nuevas y más espectaculares formas imperantes.

Antonio *Domecq*. Nieto de Álvaro Domecq Díez. Este joven rejoneador destaca por hacer un toreo de alta escuela, pleno de alegría y sabor campero. Confirmó la alternativa en Madrid en 1992 y es una de las grandes figuras del rejoneo actual.

Luis *Domecq*. Nieto de

Álvaro Domecq Díez. Es un rejoneador sobrio, campero, muy clásico y puro en la ejecución de las suertes. Por su rejoneo elegante y de alta escuela, se ha colocado, a partir de 1992, en la cima del rejoneo actual.

Pablo *Hermoso de Mendoza*. Rejoneador nacido en Estella (Navarra). Se ha convertido, a comienzos de los años noventa, en la máxima figura del rejoneo. Muy valiente, clásico, sobrio, tiene un gran sentido del espectáculo. Es el obligado contrapunto al arte andaluz de Antonio y Luis Domecq.

Bernardino *Landete*. Fue un rejoneador de larguísima carrera. Estuvo en activo desde 1954 a 1975. Pasó grandes temporadas en Ecuador. En 1968, en la ciudad argentina de Buenos Aires, logró para Ecuador, nacionalidad que poseía, la «copa de naciones» del campeonato ecuestre sudamericano. Bernardino Landete fue un rejoneador notable, inquieto y polifacético, cuyos pares de banderillas de «violín» tuvieron verdadera calidad.

Cándido *López-Chaves*. Sin llegar a ser una gran figura, ocupó un digno lugar en el escalafón de rejoneadores desde 1960 a 1978. Desde 1961 a 1964 actuó en colleras con su hermana, la gentil amazona Lolita López-Chaves.

José *Mestre Batista*. Ha sido uno de los mejores rejoneadores portugueses de la historia. En España actuó en muy contadas ocasiones. No consta que haya toreado en las Ventas; sí en la madrileña plaza de Vista Alegre, en Carabanchel. Tomó la alternativa en 1958. Fue un torero genial e innovador, un gran revolucionario del arte del rejoneo.

Gregorio *Moreno Pidal*. Rejoneador madrileño que destacó sobre todo por actuar con los toros en puntas como el legendario Antonio Cañero, e incluso, a veces, entró en sorteo con los matadores de toros. En Madrid se presentó en 1967. Rejoneador muy campero, muy puro y sobre todo valiente. En la exigente plaza de las Ventas tuvo gran cartel hasta su retirada a mediados de los setenta.

Manuel Jorge de *Oliveira*. Es uno de los mejores rejoneadores portugueses de estos tiempos. En 1978, con 54 festejos, encabezó el escalafón en el país vecino y se ha mantenido en figura hasta nuestros días. Es un torero puro y, a la vez, con gran sentido del espectáculo. En España ha toreado muy poco, a pesar de su calidad.

Ángel *Peralta*. Rejoneador de larguísima y brillante actividad. Nació en Puebla del Río (Sevilla) en 1926. En 1943 debutó en la plaza de La Pañoleta. En 1948 se presentó en Madrid. Su carrera es, desde entonces, un rosario ininterrumpido de éxitos. A principios de los sesenta torea mucho en colleras con su hermano Rafael. En 1970 inventa la «corrida de rejones», festejo en el que actúan cuatro rejoneadores, matando cada uno un toro, y otro en colleras. Ángel, Rafael Peralta, Alvarito Domecq y Samuel Lupi son los artífices del éxito de este tipo de festejos. En 1971 llega Ángel Peralta a torear 125 festejos. A pesar de los años, las lesiones y que apenas puede andar, todavía en 1996 continúa en activo. En fin, en Ángel Peralta, también ganadero y escritor, se reconoce a uno de los más grandes maestros de la historia, no sólo del rejoneo sino del toreo mismo.

Rafael _Peralta_. Nacido en Puebla del Río en 1933, hermano de Ángel. Comenzó a rejonear en 1958 y, siguiendo los pasos de su hermano, aún hoy continúa en activo. En Madrid se presentó en 1959. Su estilo, de alegría contagiosa, es muy del agrado de los públicos.

José Samuel _Pereira Lupi_. Conocido en España por Lupi simplemente. Es uno de los mejores rejoneadores portugueses de todos los tiempos. Nació en Lisboa en 1931. En 1947 debutó en público en la plaza de Vilafranca de Xira. En 1963 tomó la alternativa en Lisboa de manos de su maestro João Nuncio. En 1964 se presentó en Madrid.

Lupi, un rejoneador de gran pureza y clasicismo, aportó al rejoneo un estilo espectacular y expuesto. Un gran especialista con las banderillas en la dificilísima suerte del quiebro o cambio.

Carlos _Pérez Seoane,_ Duque de Pinohermoso. Comenzó a torear en 1942 hasta 1956. Fue un gran deportista, que llenó una época del toreo campero con un valor y una afición extraordinarios. Pero su mejor obra fue el _Decálogo del rejoneador_, una breve y hermosa obra que resume con estas palabras: «Amarás a los caballos y los trabajarás de tal manera que luego no protesten durante la lidia».

José _Pérez de Mendoza_. Se presentó en Madrid en 1956 y estuvo en activo hasta 1977 con un largo descanso entre 1968 y 1975. Ha llevado siempre su puesto en los carteles con plena dignidad.

David _Ribeiro Telles_. Nació en el año 1927 este gran patriarca del rejoneo portugués. Tomó la alternativa en Lisboa el año 1958. En Madrid se presentó con éxito en 1960. Sin prodigarse mucho en los ruedos españoles, actuó hasta 1970. Para Cossío, «David Ribeiro Telles es uno de los rejoneadores de más personalidad y arte que Portugal ha dado a la historia».

João _Romão de Moura,_ João Moura. Un excepcional rejoneador y un gran torero a caballo. Uno de los grandes innovadores, si no el último, del bello arte del rejoneo. Moura nació en Portoalegre en 1960. Debutó en Lisboa en 1974. Su aparición en Madrid en el año 1976 fue un gran acontecimiento. Desde entonces ha gozado de las preferencias de los públicos de toda España, Francia, Portugal y la América taurina. Hoy sigue en lo más alto de su arte. Es un maestro indiscutible.

João Moura, jinete extraordinario, de natural elegancia, es formidable especialista en las arriesgadas suertes al quiebro o cambio. Ha seguido, y aun superado, la estela de José Samuel Lupi. Ha competido de igual a igual con dos maestros de la talla de Mestre Batista y José João Zoio. Su galope de costado, a «dos pistas», a escasos metros de los pitones del toro, no ha sido superado jamás.

Antonio Ignacio _Vargas_. Rejoneador sevillano nacido en 1948. Se presentó en Madrid en el año 1967. Torero espectacular, valiente, variado y voluntarioso, ha ocupado un dignísimo puesto en la fiesta.

Simão da _Veiga_. Nacido en 1903. Murió en 1959, todavía en activo. Tras rejonear el 15 de agosto un toro en Caldas da Reinha, se sintió indispuesto. Falleció el día 18. Simão da Veiga tomó la alternativa en Lisboa en 1922. Debutó en Madrid en 1924 con gran éxito.

Simão da Veiga fue el jinete portugués más popular en España. Fue capaz de aclimatar su estilo, su arte, al gusto español. Cossío da este juicio de él: «Una de las primeras figuras del rejoneo mundial de todos los tiempos». Su padre, del mismo nombre, Simão da Veiga, fue un notable rejoneador.

Manuel _Vidrié_. Para muchos aficionados, el mejor rejoneador español de cualquier tiempo. Nació en Torrelaguna (Madrid) en 1942. Se presentó en las Ventas en 1961. Gracias a su tesón y a su calidad fue superando escollos hasta que, en los años setenta, explotó como gran figura. En los ochenta nadie le discutió el primer puesto entre los rejoneadores españoles.

Rejoneador valiente, sobrio, dominador, su estilo puede compararse con el de los grandes toreros castellanos a pie. Muy castigado por las lesiones, ha reducido el número de actuaciones. Sin embargo aún no se le puede considerar retirado de los toros.

Para el inolvidable crítico Carlos de Rojas, fallecido en plena juventud y máximo especialista mundial en esta faceta de la tauromaquia, Manuel Vidrié no admite comparaciones con los mejores rejoneadores de la historia. Mejores que Vidrié, ninguno; parejos algunos, pero pocos.

José João Zoio. Es una de las grandes figuras portuguesas del rejoneo moderno. Tras el gran maestro Lupi, Zoio, junto a Mestre Batista, Bastinhas y Moura, forma parte del «póquer de ases» de los toreros a caballo. El arte de estos fenómenos ha llenado, sobre todo en Portugal, las décadas de los sesenta, setenta y ochenta. Hasta hoy nadie ha surgido con la fuerza, el arte y la categoría de estos maestros.

SEMBLANZA DE LOS GRANDES PICADORES CONTEMPORÁNEOS

A partir de la dictadura del general Primo de Rivera se impone el peto a los caballos de picar. Ante todo porque los caballos escasean y porque la sensibilidad moderna no resiste el «espectáculo» de los caballos desangrados y muertos en la plaza. Con el peto, la suerte de varas sufre una total transformación. El picador no tendrá que preocuparse de salvar la integridad del caballo sino de aplicar su técnica para administrar al toro el castigo justo que éste precise.

José *Alba*, *Cotón*. Picador madrileño nacido en 1943. Habitual de las Ventas, es muy seguro y efectivo.

Alfonso *Barroso*. Uno de los grandes picadores de estos tiempos. Nació en Jerez de la Frontera (Cádiz) en 1935. Ha figurado en las cuadrillas de toreros de la categoría de Rafael de Paula, Antonio Bienvenida, Antonio Ordóñez, Diego Puerta, Dámaso González y José María Manzanares. Sólo con esta mención de grandes figuras se hace uno la idea de lo que supone en el toreo Alfonso Barroso.

Francisco *Barroso*. Nacido en Jerez de la Frontera en 1944, es hermano de Alfonso Barroso. Francisco figura hoy día como uno de los mejores picadores.

Manuel *Calvo*, *Montoliú*. Picador de toros de los más destacados de los últimos tiempos. Nació en Valencia en 1927. Ha figurado en las cuadrillas de diestros tan importantes como Pedrés, Antonio Ordóñez, Manolo Vázquez, Miguel Mateo, *Miguelín*; Gregorio Sánchez y Julio Aparicio. Retirado de los toros, goza del enorme respeto y aprecio de la afición.

José *Cárdenas*. Picador sevillano muy destacado. En el año 1975 fue premiado, tras su gran actuación, con el Trofeo Mayte al mejor picador de la feria de San Isidro, la feria de Madrid, considerada como la más importante del mundo.

Antonio *Colchero*. Gran dominador del caballo, comenzó a picar toros en 1953. Actuó a las órdenes de toreros como Pepe Luis Vázquez, el portugués José Julio, Mondeño, Chamaco, Miguelín...

Juan *Colchero*. Destacado picador de Coria del Río (Sevilla), hermano de Antonio.

Jorge *Contreras,* *Zacatecas*. Uno de los más notables picadores mexicanos de la historia. Estuvo en activo cuarenta años. Sus últimas temporadas fueron con las grandes figuras de México, Antonio Velázquez, Manolo Martínez y Curro Rivera.

Antonio *Díaz Caamaño*. Excelente picador sevillano muy valiente y sobrio. Toreó a las órdenes del maestro catalán Joaquín Bernadó, del madrileño Dámaso Gómez y del mexicano Antonio Lomelin, lo que da una idea de su valor.

Antonio *Díaz Herrera*. Fue picador de confianza en la cuadrilla del valentísimo y sevillanísimo Diego Puerta. En 1967 fue proclamado mejor picador de la feria de San Isidro de Madrid.

Aurelio *García*. Picador de toros salmantino. Uno de los mejores de estos tiempos. Gran caballista, elegante, seguro y efectivo. En suma, un gran artista de la suerte de varas.

Juan María *García*. Hermano de Aurelio y considerado como uno de los más importantes picadores de estos años. Ha figurado en las cuadrillas de figuras de la talla de Antonio Ordóñez, Francisco Rivera, *Paquirri*, y José Miguel Arroyo, *Joselito*.

José *García Borrero*. Extraordinario picador de toros nacido en el pueblo sevillano de Aznalcóllar. Ha figurado en las cuadrillas de Curro Romero, José Luis Parada, José Antonio Campuzano y Curro Vázquez, entre otros. Es un picador de gran pureza, clasicismo, un verdadero artista a caballo. En las Ventas, en la corrida de la Prensa de 1980, obtuvo un clamoroso éxito y tuvo que dar la vuelta al ruedo.

José *González,* *Pepillo de Málaga*. Extraordinario picador. Gran jinete, hace la suerte con pureza, clasicismo, verdadero arte. Ha toreado, entre otros, con figuras como Luis Miguel Dominguín, Antonio Ordóñez y Rafael de Paula. Su hijo, del mismo nombre y apodo, jovencísimo, es uno de los mejores picadores de hoy día y se perfila como uno de los grandes del siglo XXI.

Salvador *Herrero*. Magnífico picador salmantino que ha figurado en las cuadrillas de toreros de la categoría de Santiago Martín, *El Viti*; José Falcón, el malogrado torero portugués; Angel Teruel, Julio Robles y Sebastián Cortés. En estos momentos su hijo Miguel Ángel Herrero es de los picadores más cotizados y, por su juventud, está llamado a ser de los grandes del próximo siglo.

José Luis *Llorente*. Picador de toros nacido en Barajas (Madrid) en 1954 y perteneciente a una dinastía torera en la que figuran su padre, Vicente, picador ya fallecido; su tío Rafael Llorente, que fue un honradísimo matador de toros; su hermano Ángel, fino novillero sin suerte, y su primo Rafael Sánchez Vázquez, novillero clásico de gran escuela, que tampoco triunfó. José Luis es un notable picador.

Mariano Ángel Martín, Marianín. Picador madrileño habitual del coso de las Ventas, donde siempre se apreció su honradez y buen estilo.

Ambrosio Martín. Otro de los grandes picadores de estos tiempos. Nacido en Aznalcóllar (Sevilla). Picó con todas las figuras del toreo, pero sobre todo estuvo muy vinculado al gran torero de Huelva Miguel Báez, *Litri*, y a su hijo, el actual Miguel Báez Spínola, *Litri*.

Francisco Martín. Hermano de Ambrosio Martín Sanz, destacadísimo picador. También ligado a la cuadrilla de Litri padre, y más recientemente al valeroso diestro sevillano Manuel Ruiz, *Manili*.

José Morales, Chocolate. Gran picador sevillano, nacido en 1941 en Sanlúcar la Mayor. Curro Romero, José Luis Parada y los hermanos José Antonio y Tomás Campuzano han sido algunos de sus jefes de cuadrilla.

José, Manuel y Rafael Muñoz Ortiz. Los tres hermanos, de Sanlúcar la Mayor (Sevilla), son hijos del mayoral de la ganadería de Pablo Romero. Los tres estupendos jinetes y picadores, han toreado a las órdenes de figuras como Curro Romero, José Antonio Campuzano, Joaquín Bernadó, Antonio Ordóñez, Miguel Mateo, *Miguelín*, y Ortega Cano.

Santiago Ortega, Mejorcito. Uno de los más notables picadores de la época. Grandísimo caballista, desbravador de caballos antes de hacerse picador. Estuvo en activo hasta entrados los años setenta. Nació en Mocejón (Toledo) en 1917. Estuvo en las cuadrillas del genial gitano Cagancho, del fino torero de Albacete Manolo Navarro, del soberbio torero sevillano Pepín Martín Vázquez y de Antonio Bienvenida.

Agustín Pérez, Mejorcito II. Sobrino del gran Santiago Ortega y nacido también en Mocejón (Toledo) en 1936. Este extraordinario picador, recientemente retirado, ha sido un habitual de la plaza de las Ventas de Madrid. Ha picado toros a las órdenes de diestros tan apreciados en Madrid como Antonio Ortega, *Orteguita*, su primer jefe; Agapito García, *Serranito*; Andrés Hernando, Antonio Bienvenida, Curro Romero y Antoñete.

Francisco Reyes, Curro Reyes. Sensacional picador nacido en Santiponce (Sevilla) en 1941. Ha pertenecido a cuadrillas de gran categoría, como las de Miguel Báez, *Litri*; Manolo Vázquez, Andrés Hernando, José Martínez, *Limeño*, y Antonio Bienvenida.

Alfonso Rodríguez, El Moro. Picador nacido en Valladolid en 1934. Uno de los grandes picadores de la época, un gran artista y excepcional bohemio. Muerto en plena juventud, aunque toreaba muy poco, dado que su inquietud vital le hizo dedicarse a la política, a la literatura y a la pintura. Fue picador en cuadrillas de toreros de especial bohemia como Marcos de Celis, Agustín Castellanos, *El Puri*; el trágicamente desaparecido torero canario José Mata y, sobre todo, con Dámaso Gómez.

Domingo *Rodríguez, Rubio de Quismondo*. Un excelente picador nacido en el muy taurino pueblo toledano de Quismondo. Comenzó su carrera en 1957, y se retiró en el primer lustro de los años noventa, en medio de la general consideración y reconocimiento a su arte. En su larga y brillante carrera toreó con figuras como Andrés Hernando, Ángel Teruel, Luis Miguel Dominguín, en su reaparición a principios de los setenta hasta su retirada en 1973 y, desde entonces, con Francisco Ruiz Miguel.

Jesús *Rodríguez, Matías hijo*. Magnífico picador de toros nacido en Villavieja de Yeites (Salamanca) en 1931. Ha pertenecido a las cuadrillas de primeras figuras de estos tiempos: Antonio Bienvenida, Gregorio Sánchez, Miguel Mateo, *Miguelín*; José Manuel, Tinín, Miguel Márquez, El Viti, Paco Alcalde y Luis Francisco Esplá.

Raimundo *Rodríguez*. Un gran maestro de la suerte de varas, recientemente retirado. Nació en Zarzalejo (Madrid) en 1931. Toreó, entre otros, con Antonio Ortega, *Orteguita*; Manuel García, *Palmeño*; Alfonso Vázquez II, Sánchez Bejarano, Serranito y José María Manzanares. Como prueba de su gran categoría basta decir que fue proclamado el mejor picador de la feria de San Isidro de Madrid en 1970, 1971 y 1975. A lo largo de su brillante carrera ha picado cerca de mil corridas.

Epifanio *Rubio, Mozo*. Uno de los más prestigiosos picadores de todos los tiempos. Iniciador de una brillantísima dinastía de picadores, continuada por sus hermanos Mariano y Ladislao. Ha figurado en la cuadrilla de toreros como Domingo Ortega, Antonio Ordóñez, Litri, Luis Miguel Dominguín, Pedrés y El Viti.

Enrique *Silvestre, Solitas*. Picador de toros nacido en Los Palacios (Sevilla) en 1930. Hijo del mayoral de Murube, ha figurado en las cuadrillas de Rafael Ortega, Antonio Ordóñez, Paco Camino y Niño de la Capea. Aún sigue en activo este magnífico picador, gran torero a caballo, que luce la suerte con elegancia y arte. Fue uno de los triunfadores de San Isidro 1996. Su hijo, del mismo nombre y apodo, es una firme realidad entre los picadores con más futuro por delante.

Martín *Toro*. Extraordinario picador, de los mejores de los últimos tiempos, ya retirado. Nació en 1923 y se crió en Palma del Río, en la finca ganadera de Moreno de la Cova. Lució su gran estilo de jinete muy campero y personal en las cuadrillas de Juan Antonio Romero, Rafael de Paula, Rafael Ortega y Francisco Ruiz Miguel.

Luis *Vallejo, Pimpi*. Picador nacido en Madrid en 1916. Sobrino del rejoneador Basilio Barajas, que fue luego contratista de caballos. Luis comenzó como picador en 1935. Figuró en la cuadrilla de Marcial Lalanda. Luego toreó con Antonio Bienvenida, Agustín Parra, *Parrita*; Paco Muñoz, Miguel Báez, *Litri*, y Pedro Martínez, *Pedrés*. Murió en 1975.

Cossío da este juicio del viejo Pimpi: «Luis Vallejo merece un lugar preeminente entre los picadores de cualquier tiempo. Un entendimiento del oficio y una afición extraordinaria, unidos a unas condiciones físicas excepcionales. Un excelente caballista, practicó la suerte de varas con toda perfección e inconfundible personalidad».

Su hermano Enrique Vallejo fue un notable picador. Sus hijos Antonio y Eduardo son contratistas de caballos de las Ventas y muy notables picadores. Su nieto Luis parece llamado a ser el heredero del arte de su abuelo. En los años 1995 y 1996 ha sido este Luis Eduardo Vallejo uno de los más premiados de la temporada española.

SEMBLANZA DE LOS GRANDES BANDERILLEROS CONTEMPORÁNEOS

Como se haría interminable, esta semblanza es forzosamente resumida y manifiestamente incompleta.

Pablo *Alonso*, *Arruza*. Nacido en Parla. Fue un novillero valiente y cumplidor que tomó la alternativa en 1972. Renunció a la categoría para destacar como banderillero sobrio y eficaz en las cuadrillas de Paco Alcalde y José María Manzanares.

Francisco *Álvarez*, *Curro Álvarez*. Banderillero de portentosas facultades, ha gozado siempre del respeto y el aplauso de la afición. Ha toreado con Gabriel de la Casa, Miguel Márquez, Rafael de Paula y Dámaso Gómez, entre otros muchos.

Julio *Atienza*. Hijo del gran picador Rafael Atienza Ruiz, uno de los más destacados sucesores de Miguel Atienza. Julio es el único Atienza que en lugar del caballo prefirió el toreo a pie. Sin suerte como novillero, es hoy un joven y prometedor banderillero, con mucha calidad.

Faustino *Barragán*, *Gitanillo Rubio*. Nacido en Badajoz. Fue un novillero con mucha personalidad y poca suerte. Como banderillero cumple como los mejores. Ha toreado con Luis Miguel Campano, Fernando Lozano y Curro Vázquez.

José Luis *Barrero*. Matador de toros salmantino que tras renunciar a la categoría se convirtió en un notable banderillero.

Juan *Bellido*, *Chocolate*. Banderillero cordobés estimadísimo por su arte y humanidad tanto por los profesionales como por los públicos. Su hijo Juan, todavía en activo, fue un fino novillero, y como banderillero sigue con provecho los pasos de su padre.

Enrique *Bernedo*, *Bojilla*. Con el capote, este gran peón granadino está considerado como de los mejores de todos los tiempos. Toreó en las cuadrillas de Rafael Mariscal, Rafael Ortega, Dámaso Gómez, Curro Girón, Palomo Linares y Espartaco. En 1995 todo el toreo le brindó un merecido homenaje en la plaza de las Ventas de Madrid.

Anselmo *Biosca*. Extraordinario peón de brega que destacó en las filas de diestros de la categoría de Manolo Vázquez, César Girón, Curro Romero, Dámaso Gómez y Antoñete.

Florencio *Blázquez,* *Flores Blázquez.* Salmantino. Fue un destacado novillero que tomó la alternativa en 1967. No tuvo suerte como matador y se hizo banderillero, donde destacó con el capote por su eficacia y sobriedad.

Juan *Cabello,* *El Brujo.* Un gran peón de brega, que llegó a tomar la alternativa en 1966 en Ibiza. Estuvo toda su carrera de banderillero vinculado a la cuadrilla de Pedro Moya, *Niño de la Capea.*

José Manuel *Calvo,* *Montoliú.* Nació en Valencia en 1954. Murió en Sevilla, heroicamente, corneado por un toro el 1 de mayo de 1992. Manolo Montoliú fue un novillero prometedor. Más tarde un excepcional peón de brega. Uno de los mejores banderilleros de todas las épocas. En 1986 tomó la alternativa. Algo que llevó dentro de su alma grande, con sincero orgullo. Manolo Montoliú vivirá siempre en el recuerdo.

Joaquín *Camino.* Hermano del grandioso torero Paco Camino, fue su peón de confianza. Murió en 1973, brutalmente corneado, en la plaza de Barcelona.

Manuel *Cano.* Excelente banderillero madrileño que toreó en las cuadrillas de Julio Aparicio, Antonio Bienvenida y Julio Robles.

Hilario *Cantos,* *Cantitos.* Un fuera de serie. Toreó con todas las grandes figuras de su época. Retirado en 1974, murió en 1995.

Eliseo *Capilla.* Banderillero valenciano destacadísimo por su arte y elegancia.

Rafael *Corbelle.* Nació en Recas (Toledo) en 1936. De los mejores toreros de plata con el capote y las banderillas. Su hermano Juan está también considerado como excepcional peón. Juan Corbelle se retiró en 1969. Rafael, bien entrados los noventa, en plenitud de sus facultades, de su arte.

Juan *Cubero.* Hermano de José Cubero, *Yiyo,* el extraordinario torero madrileño, muerto de brutal cornada en 1985. Juan Cubero, en la cuadrilla de José Miguel Arroyo, *Joselito,* es uno de los mejores banderilleros actuales.

Antonio *Chaves,* *Flores.* Extraordinario torero sevillano, en la enciclopedia de Cossío se escribe de él: «Por sus magníficas condiciones como peón de brega, su nombre debe figurar en letras destacadas entre los subalternos de cualquier época del toreo».

Agustín *Díaz,* *Michelín.* Excepcional torero. Un gran maestro con el capote y las banderillas. Recordado como el peón de confianza, imprescindible, de Paco Camino. Se retiró en 1965. Murió en 1996.

Alfredo *Fauro.* Conocido como Alfredo Peñalver, su categoría como rehiletero y peón de brega son reconocidísima. Actuó, entre otras, en las cuadrillas de Miguel Márquez y del singular torero mexicano Eloy Cavazos; pero su fama de torero está vinculada a la de Santiago Martín, *El Viti*, del que fue «brazo derecho».

Antonio *Fernández, Almensilla*. Cumbre del toreo con el capote y magnífico banderillero. Su calidad queda demostrada con sólo enumerar a sus jefes de cuadrilla: Pedrés, Litri, Manolo Vázquez, Chamaco, Jaime Ostos, Curro Girón, Diego Puerta, Curro Romero y Rafael de Paula. Un dato más: Almensilla es el subalterno más galardonado por la Real Maestranza de Sevilla.

Gabriel *González*. Un torerazo. Debutó en 1927 en la plaza de Madrid a las órdenes de Diego Marquiarán, *Fortuna*. Luego figuró en las cuadrillas de Nicanor Villalta, Rafael Ponce, *Rafaelillo*; Juan Belmonte Campoy, Domingo Ortega, Manolete y Parrita.

Luis *González*. Sobran palabras. El V tomo del Cossío dice: «Es imprescindible contar con su nombre cuando se habla de los mejores banderilleros de todos los tiempos».

Antonio y Andrés *Luque Gago*. De los más afamados banderilleros de su época. Han toreado en las cuadrillas de Luis Miguel Dominguín, Curro Girón, Manolo Vázquez, Pedrés, Miguelín, Antonio Bienvenida, Antoñete, Antonio Ordóñez, Paquirri y Rafael de Paula.

La sola mención de los espadas a cuyas órdenes han servido estos dos hermanos, Antonio y Andrés, hace innecesario ponderar la calidad que tuvieron como banderilleros.

Julián *Maestro*. Es uno de los mejores banderilleros jóvenes por su calidad y finura con el capote.

Ángel *Majano*. Llegó a tomar la alternativa en México este sobrio y eficaz banderillero de Getafe.

Luis *Mariscal*. Nacido en Santiponce (Sevilla) en 1948, es uno de los mejores banderilleros de la actualidad, junto con su hermano, que se anuncia Pedro Santiponce.

Juan *Martín Recio*. Es una de las grandes figuras del momento con el capote, valiente, sobrio y eficacísimo. Muy buen banderillero, ha actuado a las órdenes de Curro Vázquez, Antoñete, Joselito y Julio Aparicio hijo.

Antonio *Martínez, Rondeño*. Excepcional torero de plata. Nacido en Alicante en 1937 y recientemente retirado de los toros, donde ha dejado honda huella. Actuó en las cuadrillas de El Inclusero, Antonio Bienvenida, Manzanares, Joaquín Bernadó, Julio Robles y Luis Francisco Esplá.

Manuel *Martínez de Dios, Viruta*. Banderillero cordobés nacido en 1903. Sobrino del matador de toros Antonio de Dios, *Conejito*. Actuó en las cuadrillas de Pepe Belmonte, Enrique Torres, Antonio Posada, Alfredo Corrochano y el gran Manuel Jiménez, *Chicuelo*. Murió en 1966. Destacó por su valor y gracia.

Salvador *Mateo*. Hermano del magnífico matador de toros Miguel Mateo, *Miguelín*. Salvador ha sido uno de los mejores banderilleros de los años sesenta y setenta. Se retiró en 1982.

Francisco *Mambrilla*, *Pacorro*. Uno de los más destacados con el capote de brega, donde adquirió categoría de maestro. Ha toreado con Pepe Cáceres, Manuel Cano, *El Pireo*; José Manuel, *Tinín*, y Dámaso González.

José *Migueláñez*. Banderillero de gran renombre y popularidad. Con el capote fue, además de seguro y eficaz, un finísimo, elegantísimo artista. Toreó con Jaime Marco, *El Choni*; Mario Carrión, Alfonso Merino, Rafael Ortega, Miguelín y Dámaso Gómez.

Francisco *Moreno Vega*, *Curro Puya*. Distinguido novillero de la familia de los célebres *Gitanillo de Triana*. Muy notable peón de brega, figuró en las cuadrillas de Rafael Ortega, Andrés Vázquez, Litri, Antonio Ordóñez, Curro Romero, Manolo Cortés y José Antonio Campuzano.

Federico *Navalón*, *El Jaro*. Magnífico subalterno madrileño, uno de los mejores con el capote de los últimos años. Ha toreado en las cuadrillas de Juan Antonio Alcobas, *Macareno*; Sebastián Cortés, Antoñete y Curro Vázquez, entre otras figuras.

Alfonso *Ordóñez*. Hermano de Antonio Ordóñez, ha sido uno de los mejores banderilleros de todos los tiempos. Fabuloso con el capote y muy buen banderillero. Figuró, entre otras, en las cuadrillas de Paco Muñoz, José Fuentes, Antonio Ordóñez, Paquirri y Curro Romero.

Antonio *Ortega*, *Orteguita*. Un torerazo. Nació en Madrid en 1941. Fue destacado novillero. Tomó la alternativa en Valencia el 25 de julio de 1963 con César Girón de padrino y Miguelín de testigo. Confirmó en las Ventas el 21 de abril de 1964 con Fermín Murillo de padrino y Miguelín, de nuevo, de testigo. A pesar de su valor y calidad, se hizo banderillero en 1967. Ha figurado en las cuadrillas de Eloy Cavazos, Andrés Vázquez, Julián García y Curro Vázquez. Se retiró de los toros en 1996.

José *Ortiz*. Malagueño. Figuró en las cuadrillas de sus paisanos Andrés Torres, *El Monaguillo*; Baldomero Martín, *Terremoto*; Antonio José Galán y Miguel Márquez. Con las banderillas ha sido Pepe Ortiz uno de los más sobresalientes de todos los tiempos. Un portento de valor, de elegancia, de arte y torería.

Manuel *Ortiz*. Malagueño. Fue un notable, pero sin suerte, matador de toros, que recibió la alternativa en Málaga en 1971 y confirmó en Madrid en 1972 cortando una oreja. En 1975 se hizo banderillero. Valiente, espectacular, con una singular torería, ha gozado del aprecio de todos los públicos. En 1996 todavía seguía en activo en la cuadrilla de su hijo Ricardo Ortiz, matador de toros.

Luis *Parra*, *Parrita*.

Destacadísimo banderillero y peón de brega. Toreó a las órdenes de toreros de la categoría de Luis Segura, Fermín Murillo, Pedrés, José Fuentes, Pedro Benjumea, Paco Camino, Paquirri y José María Manzanares.

Francisco Rabadán, *Paco Honrubia*. Excepcional banderillero valenciano, uno de los artistas bohemios y románticos que engrandecieron este arte.

Luis Redondo. Un fenomenal peón. Uno de los más apreciados con el capote a una mano.

Juan Luis de los Ríos, *El Formidable*. Banderillero jerezano cuyo arte, valor y gracia han llenado una época del toreo. Su hijo Juan Carlos de los Ríos, *El Formidable*, es una gran figura, cotizadísima, de estos años noventa.

Francisco Riva, *Curro de la Riva*. Un extraordinario torero de plata, apreciado en Madrid por su arte y elegancia.

Manuel Ruiz, *Manolillo de Valencia*. De los mejores banderilleros de los últimos tiempos. Sus hijos Luis Carlos y Manuel Ignacio siguen sus pasos y gozan de alta cotización en el oficio.

Félix Saugar, *Pirri*. Con sus hermanos Emilio, Pablo y Lorenzo, configura una dinastía de estupendos banderilleros.

Mariano de la Viña. Es hoy la máxima figura entre los toreros de plata. Extraordinario con el capote y soberbio banderillero.

No sería justo poner fin a la relación de grandes banderilleros sin mencionar a matadores de toros que fueron especialistas en la suerte. De los antiguos hay que destacar a Antonio Carmona, *El Gordito*, y, posteriormente, Rafael Guerra, *Guerrita*, y Antonio Fuentes. Rafael, *El Gallo*, y su hermano Joselito, el grande, José Gómez, *Gallito*, rival insuperable de Juan Belmonte, fueron soberbios con las banderillas. Rodolfo Gaona, el excepcional torero mexicano, fue un gran artista con los rehiletes.

Tras la guerra civil destacan con las banderillas el mexicano de origen español Carlos Arruza y, sobre todos, Pepe Dominguín y Pepe Bienvenida. Ambos fabulosos, extraordinarios artistas, son, a juicio de muchos críticos, los dos mejores matadores-banderilleros de la historia.

De los modernos, el algecireño Miguel Mateo, *Miguelín*, ha sido el más completo. Tras él Francisco Rivera, *Paquirri*, y Ángel Teruel. Los portugueses José Julio, Mario Coelho, elegantísimo, y Víctor Mendes, valentísimo. Muy completos fueron los venezolanos César y Curro Girón y, en cierto modo, heredero de ellos, Morenito de Maracay, todavía en activo. Luis Francisco Esplá, el brillantísimo torero alicantino, es, con mucho, el mejor banderillero de los matadores en activo y puede comparársele con los mejores de la historia.

ACERCAMIENTO A UN MISTERIO

La ganadería actual tiene muy poco que ver con las llamadas «castas fundacionales». El toro bravo ha evolucionado mucho, según los criterios más avanzados o racionales. Pero a la vez, paradójicamente, ha degenerado y perdido muchas de las cualidades de animal único de incomparable hermosura.

La ganadería actual, según el criterio de dos de los más grandes expertos, el ganadero Álvaro Domecq Díez y el periodista Joaquín López del Ramo, procede en un 95 % de sólo dos castas: la vazqueña y la de Vistahermosa. En el pequeñísimo resto, y con lupa, podríamos reseñar procedencia «navarra» en alguna remota ganadería mexicana, y en alguna vacada navarra y aragonesa. De la famosísima «jijona», apenas nada. De Cabrera queda algo en lo de Miura y en lo de Pablo Romero. En Raso del Portillo deben (no hay datos fiables) quedar reminiscencias en los toros de Gamazo.

Del origen vazqueño, la vacada más famosa fue propiedad del señor duque de Veragua, adquirida luego por Juan Pedro Domecq Villavicencio. Sangre de esta procedencia tienen, en alguna medida, las reses de Tomás Prieto de la Cal, de Torrestrella, propiedad de Álvaro Domecq; de Mary Carmen Camacho, de los herederos de Benítez Cubero, y de lo que procede de Concha y Sierra, que tuvo por propietario al matador de toros Miguel Báez, *Litri*.

El creador de los toros vazqueños fue don Gregorio Vázquez, vecino de Utrera (Sevilla), que mezcló reses de procedencia desconocida con ganado de Cabrera y de Raso del Portillo.

De Vistahermosa procede casi la totalidad del ganado bravo español. Para no alterar el orden cronológico empezamos por Saltillo, de donde provienen la mayor parte de las ganaderías mexicanas. En España lo más cercano a Saltillo pertenece a la familia Moreno de la Cova. El célebre ganadero de Galapagar, Victorino Martín, en el año 1964 se hizo con una punta de esta procedencia, la que formó el marqués de Albaserrada con reses de Saltillo y de Santacoloma. De la procedente del conde de Santacoloma, lo más puro, lo mejor conservado, pertenece a la familia de ganaderos sevillanos apellidados Buendía.

Murube es otra ganadería señera de la que han salido subestirpes, como los urquijos, pertenecientes a la familia de José Murube;

Fermín Bohórquez, el torero Antonio Ordóñez y, actualmente, el torero salmantino Pedro Moya, *Niño de la Capea*.

Contreras es otra de las ganaderías de origen Murube que prestigia las vacadas de los hermanos Peralta y de los herederos de Baltasar Ibán, que hoy pertenecen a la familia Vaamonde.

De lo procedente de Murube tuvo gran fecundidad lo que adquirió Eduardo Ibarra (1884), y en esta línea hay que mencionar los toros de Villamarta, los de Carlos Núñez y los de Guardiola. Sin embargo, lo de Parladé superó con mucho a lo de Ibarra. El principal creador fue el conde de la Corte, toros que por sí solos se alaban, y dos ganaderos de lujo, tronío y señorío que, a partir de lo que compraron al conde, hicieron dos ganaderías señeras: Juan Pedro Domecq y Atanasio Fernández.

De lo mejor de Parladé hay que destacar dos ganaderías que mantienen sus características en el mayor grado de pureza: Lamamié de Clairac y Samuel Flores.

En resumidas cuentas, el toro actual ha adquirido unos peligrosos rasgos de uniformidad, y con ello el toreo, la corrida de toros, la lidia. Monotonía, uniformidad, rutina, son términos archirrepetidos: toro igual, torero igual. «Los dos pases» que con tanto ingenio como injusticia censuró el maravilloso escritor y crítico taurino Antonio Díaz Cañabate. Sin embargo, vayamos al toro, el gran e inexplicado o inexplicable misterio de la lidia. Analicemos comportamientos de corridas, o de toros sueltos, de las ganaderías siguientes: Miura, Pablo Romero, Victorino Martín, Buendía, Guardiola, Samuel Flores, Clairac, Atanasio Fernández, Álvaro Domecq, Prieto de la Cal, Moreno de la Cova (Saltillo), Carlos Núñez, Sepúlveda, marqués de Domecq, Benítez Cubero, Tulio e Isaías Vázquez...

Cada uno y sus «cadaunadas». Y de la rutina en los toreros actuales: el temple y el valor de Dámaso González; la belleza exquisita de Curro Vázquez; la maestría vistosísima de Luis Francisco Esplá; la revolución, no acabada, de Paco Ojeda; Espartaco, sin un toreo estético, pero uno de los grandes lidiadores de todos los tiempos; la verdad pura, estremecedora del colombiano César Rincón; la espléndida realidad de Joselito y su contrapunto Enrique Ponce, lo que nos debe y puede decir Rivera Ordóñez?

¿Todo va mal? ¿Todo va bien? Es imposible la respuesta en un mundo variadísimo de situaciones, a menudo, indescifrables. Un arte único, efímero, irrepetible, imprevisible, y sobre todo misterioso.

Dice José Antonio del Moral: «En el toro y su lidia siempre queda algo por descubrir, por mucho que se sepa». Una creencia. Un culto.

BIBLIOGRAFÍA MÍNIMA

Con el fin de aclarar conceptos, de ampliarlos, o por el solo placer de gozar con la lectura, es recomendable leer obras tan diversas como *Toros, toreros y públicos*, de Antonio Caballero; el ensayo publicado en la desaparecida revista «Triunfo», de José Carlos Arévalo, titulado *Tres mil toros van a morir; El toro bravo*, de Álvaro Domecq Díez; la versión resumida de *Los toros*, de José María de Cossío (2 tomos); *Diccionario Ilustrado de términos taurinos*, del finísimo escritor Luis Nieto Manjón; *El toreo es grandeza*, de Joaquín Vidal, una de las mejores plumas de la actual crítica taurina, mordaz, incisivo e hiriente, pero también lleno de humor. El imprescindible *Cómo ver una corrida de toros*, de José Antonio del Moral; *Abriendo el compás*, de Felipe Garrigues, una visión heterodoxa y genial de la fiesta; *Por las rutas del toro*, de Joaquín López del Ramo; la documentadísima *Tauromaquia de la A a la Z* (2 tomos), de Marceliano Ortiz Blasco.

Si después de todo es usted algo más aficionado, no se rinda; persevere.